[redacted]

［新版］

家族・私的所有・国家の社会哲学

マルクス理論の臨界点

青木孝平

Die Sozialphilosophie der Familie,
des Privateigentums und des Staats
—Ein kritischer Punkt der Marxschen Theorie

社会評論社

まえがき

本書の執筆の動機は、近年の全世界的なリベラリズムおよびリベラル・イデオロギーの蔓延に対する根本的な違和感にある。

なるほど現代社会は、他人を害しないかぎり何でもできる自由を諸個人に保障している。それには、思想・信条・信仰の自由や言論・出版・集会など表現の自由、奴隷的拘束・苦役からの人身の自由、さらにその最底辺には職業選択・住居移転および財産の所有など経済活動の自由がある。

もちろん自由は大切である。だが、これらの「自由」を根底で支えるものは、何よりも資本主義のオートノミックな市場メカニズムであることを忘れるべきでない。現代社会においてそれは、労働力・土地・貨幣の商品化にとどまらず、いまや情報・通信のグローバル化によって、無数の金融派生商品が実体経済を離れてサイバー空間を飛び交う、バーチャルなマネーゲームとして進行している。付け加えれば、あらゆる都市の路上に、不倫や風俗産業そして援助交際といった性の商品化があふれ、さらには医療技術の「進歩」とともに、人間の身体や臓器、はてはＩＱの高い遺伝子をもつ精子までもが公然と売買されている。

まさに現代の自由は、いわゆる「愚行権」を含む市場経済のボーダレスな膨張に支えられているのである。

こうした資本主義的市場経済をイデオロギー的・人格的に表現するものが、個人の自立と自己決定そして自己所有権を普遍的な〝人権〟とみなすリベラリズムにほかならない。それゆえ若い世代や都市生活者を中心に、リベラリズムの感性はすでに現代人の常識となっているといえよう。いわく、「私が私のものを、私の体や性をどう扱おうと私の勝手でしょ。他人に迷惑をかけるわけではないし、私は誰にも干渉しないから誰も私に干渉しないでほしい」。

近年のほとんどの社会思想は、リベラルからリバタリアンまで、そしてフェミニストからマルクス主義者にいたるまで、こうした現代人の常識にたいして真っ向から反論を挑むことはできない。なぜなら彼らもまた、人間はあらかじめ自己の身体とその能力の行使に対して固有の権利すなわち人権（自己所有権）を持つという前提から議論を開始しているからである。

だが仮にそうだとしたら、そこから導き出される思想は、たとえばJ・ロック以来の自然法思想による社会契約論の復活であり、A・スミスやD・リカードウなど古典派経済学の労働価値説の再評価であり、そして、超越論的主体から出発してそこへの回帰をめざす自己疎外論でしかありえないだろう。さらに、これらを批判して登場した合理的選択理論やゲーム理論、またマルクス理論を発展させたといわれる「商品所有者」の行動論なるものも、けっきょくは、人間の主観的選好から社会制度を説明する方法論的個人主義を越えていない。そこからはついに、現象学的社会学や新古典派経済学、そして新制度学派といった主観主義や効用学説の系譜に属する社会理論しか生み出しえなかったからである。

私たちは、こうした近年リバイバルしている人間中心主義に強い疑問を持っていることを率直に告白しておきたい。

それらは新しい意匠をこらしているとはいえ、じつは、R・デカルト的な自我に始まりI・カントをへてE・フッサールらの超越論的主観性にいたった西欧形而上学的な主体論のひとつのヴァリアントであり、かつてCl・レヴィ‐ストロースやJ・ラカン、さらにはL・アルチュセールなど構造主義につらなる諸思想によって批判された、〝人間〟を出発点とする理論の一典型ではないだろうか。だが歴史はめぐりめぐって、マルクス主義の崩壊と資本主義市場経済のグローバルな「勝利」とともに、こうした独立した個人こそが社会を形成する主体であるという社会思想が、ふたたび〝現代リベラリズム〟の名のもとに全世界を席巻し謳歌されるにいたったというわけである。

そして最近では、マルクスのコミュニズム論までもが、自立した個人的所有者の自由なアソシエーションを意味するリベラリズムのひとつである、という理解がひろく流布されている。それゆえ最近のマルクス学においては、〝社会〟とは、諸個人が自由な意思によってその力能や財貨を持ち寄り形成する加入・離脱が任意のアソシエーションであるとみなされる。それは、いつでも誰でも恣意的に結成し解散できる契約的集団にすぎず、ついに人間をそこに着床し自我に帰属の根拠を与えるコミュニティではありえなかったのである。

本書が、こうしたマルクスのリベラリズム化にあえて異議を唱え、これらと異なったマルクスの再生の可能性をぎりぎりの地点で追求していかざるをえないゆえんである。

本書は、いわゆるマルクス主義のテキストから、エンゲルスの家族論、マルクス『資本論』の所有論、そして日本資本主義論争における国家論をとりだし、それらを批判的に検討して、その全面的な再構成を試みることをテーマとしている。

*

いうまでもなくマルクス主義の立場から家族・私的所有・国家の発生史的な起源を説いた代表的古典として、エンゲルスの『家族・私的所有・国家の起源』が挙げられよう。だが私たちは、こうした「発生」「起源」「生成」論という進化論的または弁証法的な思考方法に満足することはできない。家族も私的所有も国家も、その起源なるものを問うのではなく、あくまでも資本主義市場経済を基礎にした関係的構造の問題として理解されねばならない。家族や所有および国家は、商品経済というゲゼルシャフトリッヒな関係によって、社会共同体が分節され、規定され、再構成される結節点をなすイデオロギーとして、初めて確実に浮かび上がってくるはずである。

それゆえ本書は、モルガン゠エンゲルスに始まる家族の進化理論にとどまらず、マルクスの『資本論』、さらにはいわゆる「日本資本主義論争」を批判の対象に選ぶことにした。マルクス『資本論』に始まる価値形態論の展開過程に、今日の所有論の根本的プロブレマティクが凝縮されており、また、戦前の日本資本主義論争のなかに、すでに現代日本および西欧における国家論論争のエッセンスがすべて出尽くしていると思われるからである。したがって本書は、マルクス主義の家族論・所有論・国家論に対する徹底的な総批判であると同時に、マルクスのテキストを、人間疎外論や史的唯物論という常識的ドグマからもっとも遠い地点で、あえていえばアンチ・マルクスと紙一重の〝臨界点〟において再読し、なんとか救出しようという思考実験である。

本書は、もはや誰も説得的に社会の未来を語りえない時代の不透明性と閉塞性のなかで、私たちが生きている現実を解析する方法的座標軸とその変革の可能性を誠実に追求するつもりである。たしかに本書は、いまだカール・マルクスというパラダイムに拘泥しすぎており、抽象的で観念的な論点の提示にとどまっているかもしれない。だがその欠陥は、いまだ未知なる読者との双方向的なコミュニケーションを通じて、少しずつ修復していく以外に手立てはないだろう。そうした思想の協同連関をつうじて、設計主義や啓蒙主義でも必然性論や法則史観でもない、新しい未来の展望は開かれていくしかないように思われる。

慧眼なる読者から多くの批判を得られることを期待したい。

著　者

〔新版〕家族・私的所有・国家の社会哲学——マルクス理論の臨界点　目次

第Ⅲ部　国家論

第Ⅰ部　家族論

一　家族論のプロブレマティク

マルクス主義の家族理論といえば、誰もがまずフリードリッヒ・エンゲルスの『家族・私的所有・国家の起源』を思いうかべる。L・H・モルガンの民族学説にもとづいて、無規律性交の時代から血縁婚・プナルア婚・対偶婚という家族の各段階をへて、私的所有制度にもとづく階級社会の成立とパラレルに男性が支配する一夫一婦婚家族ができあがったと説く、あの有名な家族の進化・発展史観である。

そしていま、誰もが、マルクス主義の家族理論は古い、アナクロニズムであるという。いわく、マルクス主義は家父長制にもとづくファルス中心主義であり、エロス的な私的領域の権力を経済的支配に還元する生産力主義であり、女性の解放をプロレタリアートの解放に従属させる階級一元論であった、と。

なるほどそのとおりであるかもしれない。しかしたとえそうであるとしても、エンゲルスに代表されるマルクス主義家族理論への批判をもって、本当にマルクスの家族理論そのものに終焉を宣告することができるのであろうか。こんにち流行しているリベラル・フェミニズムさらにはラディカル・フェミニズムなるもののように、女性の自立や自己決定権、性別役割分業の解消、夫婦別姓に代表される個人としての人権をひたすら追い求めることが、本当に現代的な新しい家族論の展開なのであろうか。けっしてそう考えることはできないであろう。あまたのフェミニズムは、けっきょくのところ、現代資本主義の〝文明化作用〟や〝平準化作用〟がもたらしたリベラルでアトミックな人間観におもねるものであり、ジェンダーレスで同型の市場的個人を理想視するものなのではないのか。それらは、現代思想や社会学的レトリックの多用にもかかわらず、その基本的ロジックにおいて、エンゲルスの進歩史観やモダニズムをほとんど超えていない。むしろその急進的エピゴーネンというべきものではなかろうか。このことは、エンゲルスの説く家族の未来像が、多くのフェミニストの讃えてやまない自立した個人による平等な契約という近代自然法的な社会観に、著しく近似したものであったことを想起するだけで十分理解できよう。

すでに私たちは、C・R・ダーウィンを模したエンゲルスの進化主義的な社会理論をもって、いわゆるマルクス主義を代表させることはできても、それがそのままカール・マルクスの社会理論であるわけではないことを知っている。それゆえ、エンゲルスへの批判をもって、〝マルクス〟理論のもつ僅かに残された可能性まで棄却することはできない。マルクス主義は終焉したという巷間にあふれる常套文句によって、マルクスそのひとの理論や思想をろくに再検証することもなく、産湯とともに赤子まで流してしまうわけにはいかないからである。そしてこの警句は、おそらく家族理論にもっともよく当てはまるであろう。

そこで、第Ⅰ部では、まず、『家族・私的所有・国家の起源』におけるエンゲルスの家族理論とそれをめぐるその後の人類学や民族学による家族学説の展開をサーヴェイし、エンゲルス家族理論のもつリベラリズム的色彩とその時代的な限界を冷静にみきわめることを課題とする。そして次に、おそらくこれと根本的にパラダイムを異にするマルクスの『資本論』を中心とした家族理論を掘り起こすことになる。もしかしたらそこには、これまでマルクス主義と呼び習わされてきた〝コミュニズム〟の家族理論と異なる、ユニークで斬新な家族に対するアプローチを発見できるかもしれないのである。

二　『家族・私的所有・国家の起源』の家族理論

1　家族論の方法論争

すでに、今では旧聞に属するが、エンゲルスの家族論の方法論的検討から始めたい。よく知られているように、一八八四年に書かれた『起源』の第一版の序文には、次のようなテーゼが述べられている。

「唯物論的な見解によれば、歴史における究極的な規定要因は、直接的生命の生産および再生産である。これは、しかしながら、それ自身二重の性格をもっている。一方では生活手段の生産、すなわち衣食住の諸対象とそれに必要な道具の生産であり、他方では人間そのものの生産、すなわち種の繁殖がこれである。ある特定の歴史的時期の、特定の地域の人間がそのもとで生活する社会的諸制度は、二種類の生産によって制約される。一方では労働の発展段階によってであり、他方では家族の発展段階によってである。(1)」

このテーゼをめぐって、かつて、唯物史観の方法論争なるものが広範に展開されたことがあった。この論争は一九二一年にH・クノーが、「エンゲルスは、生活手段の生産と人間の生産とを同格視することによって、唯物史観の一元性を完全にうち捨てている」[2]と批判したことに端を発する。そしてこれをうけついで、当時マルクス主義の最高のテキストとして聖典視されたI・V・スターリンの『弁証法的唯物論と史的唯物論』が、「一つの制度から他の制度への社会の発展を規定する主要な要因は、人類の生存に必要な生活手段を獲得する仕方であり、食物・衣類・履物・住居・燃料・生産用具など社会が生活し発展するために必要な物質的財貨の生産様式である」と規定したのである。このドグマに依拠して、四〇年代には旧ソ連のV・スヴェトロフ、M・ミーチンらがエンゲルスの二種類の生産論に対して激しい批判と攻撃をおこなった[3]。

一九五〇年代以降こうした見解は、わが国の家族研究にも大きな影響を与えることになる。柳春生や青山道夫、江守五夫らは、唯物史観の立場においては「物質的生産」のみが歴史の究極的な規定要因であるとして、「家族」をこれとならべて独自な歴史の規定要因とみなす二元論的方法論は、マルクス主義の立場に根本的に背反する、という主張をあいついで発表した[4]。

一方、G・W・プレハーノフや今中次麿は、エンゲルスにおいては「労働」と「家族」は並べて置かれているのではなく、生理的・性的生産が物質的生産に発展し、それとともに家族や血縁の紐帯が労働による経済紐帯の制度へ移行する、という発展段階論的な解釈を示して、部分的にエンゲルス・テーゼを救おうと試みた[5]。だが、これについても青山道夫や江守五夫は、私的所有の発生の以前において「種の繁殖」を歴史の究極的規定要因とすることそれ自体が、原始社会をもっぱらダーウィン流の生物学的な自然淘汰の法則にゆだねるものであり、史的唯物論の一元性を損なうことになる[6]、とほぼ全面的に批判を繰り返した。

さて、これらに対し、エンゲルス・テーゼの擁護を果敢にうちだしたのが、玉城肇であった。玉城は、物質的財貨の生産が歴史を形成する大前提であるにしても、そのためには生産手段に人間の労働力を結合することが欠くことのできない条件であり、したがって、人間労働力の生産は歴史をつくるうえで最も重要な要因の一つである、という。エンゲルスの「生活手段の生産」と「生殖による人間の生産」という歴史の二元的要因論に真正面から支持を表明したのである。[7]

玉城のこの見解は、その後、一九五六年のスターリン批判とあいまった初期マルクス研究の進展のなかで、あらためてスポットライトをあてられることになる。たとえば『ドイツ・イデオロギー』では、人間が歴史をつくる行為として、物質的生活の生産とそこから生じる新たな欲望の産出にくわえて、他人の生命の生産があげられている。そして、「生活の生産すなわち労働における自己の生活の生産とともに、生殖における他人の生活の生産は、いまやかくして一個二重の関係としてあらわれる。つまり一方では自然的関係として、他方では社会的関係として、である」[8]と述べられている。これは、エンゲルス・テーゼを補強する有力な論拠とされた。

これをふまえて六〇年代以降になると、唯物史観の基本テーゼなるものに新しい解釈が次々と発表されることになる。三浦つとむは、歴史の規定要因としての「生産」カテゴリーを広義に理解することを提唱し、田中吉六は、「物質的生産」のうちに「人間」を包括できるとした。また黒田寛一は、唯物史観の出発点に「生活の生産」をおくことで、それぞれエンゲルスの擁護を主張したのである。[9]

この論争は、今日の時点からふりかえれば、いかにも古色蒼然としている。見ようによっては、ロシア・マルクス主義による科学主義的な物質中心の機械的唯物論と、西欧マルクス主義による疎外論的な人間中心の主体性唯物論という、二つの系譜が、エンゲルス解釈のかたちを借りてぶつかりあったものと言えるかもしれない。そこにはいずれも、物質にせよ人間にせよ普遍的な本質をまず〝実体〟として設定し、その内発的な自己展開をもって世界史の弁証法とみなす〝現前の形而上学〟への絶対的な信仰があったのである。

しかし、いまやコミュニズムなるものの歴史的消滅とともに、ロシア・マルクス主義も西欧マルクス主義もともに崩壊した。もはや今日では唯物史観なる超越的な〝普遍理論〟によって人類史を裁断することはできない。「歴史の究極的な規定要因」というア・プリオリな前提はすでにその特権的地位を失ってしまったのである。

それでは、コミュニズムと唯物史観そのものが崩壊するなかで、これまでの論争は壮大なゼロとなり、もはや継承すべきものは何もないのか。ポスト・モダニズムの論者の説いたように歴史は終焉をとげ、残ったのは相対的で偶発的、恣意的な価値のゆらぎだけなのであろうか。そうではないだろう。私たちは、たとえ唯物史観を離れても、またコミュニズムへのイデオロギー的評価を別にしても、マルクスの理論には固有に検討すべき社会科学的に意味のある方法と思想が残っていると考える。

たとえば『資本論』では、すでに「歴史の究極的な規定要因」なるものは、いかなるかたちにおいても前提とされていない。マルクスは、資本主義のシステムとしての特殊性をあらわす差異的な関係態としての「商品」から市場メカニズムを分析し、商品による商品の生産としての「資本の生産過程」をつうじて、ようやく「どんな特定の社会的形態にもかかわりない[10]」労働生産過程の歴史貫通的な構造を抽象したのである。

マルクスによれば、あらゆる社会システムは、労働力を労働対象と労働手段とに結合し、生産物を形成する関係をたえず構造として再生産する。それは、必要労働と剰余労働からなりたつ抽象的人間労働を、さまざまな使用価値を生産する具体的有用労働として配分することであるが、他方、生産された必要労働分の生活資料を消費することによって、労働力そのものが再生産されねばならない。この関係こそがどんな社会システムの存立にとっても必要条件となる。マルクスが「再生産表式」をあらゆる社会に共通する基礎として分析したことからも分かるように、社会の存続のためには生活資料生産部門と生産手段生産部門との均衡が必要であり、両者の割合は労働力の再生産という関係によって構造的に決定されているといわねばならない。

そうであるならば「歴史の究極的な規定要因」なるものも、唯物史観によるスコラ的で形而上学的な方法論議で片付けてしまうことができないことは明らかだろう。たんなる物質的生産どころか、それに「種の繁殖」を並べれば済むという問題ではない。当然にも、ヒトの労働力の消費（モノの生産）と生産されたモノの消費（ヒトの再生産）との相補的な関係を実現する、システム連関として考察されなければならない。たとえば資本主義システムは、一般に$G—W\left\langle\begin{matrix}A\\Pm\end{matrix}\right.\cdots P\cdots W'—G'$という貨幣資本の循環形式で表示されるけれども、じつは、これだけでは決して成り立ちえない。生産された商品（W'）のうちに必ず生活資料（Km）をふくみ、したがって、資本の循環と同時に、$G—W(Km)\cdots A—G$という〝人間そのものを再生産〟する小循環を必要とするのである。

こうして、エンゲルスのように「二種類の生産」をあらかじめ二元論的に前提として人類史の発展を進化論的に記述するスタイルは、すでにマルクスの『資本論』においては放棄されていたといえる。

しかし、モノの生産＝ヒトの労働力の消費とヒトの労働力の再生産＝モノの消費との構造的な相関性そのものまで失われたわけではない。むしろそれは、L・アルチュセールをまねていうならば、重層的な因果連関をなす最終審級の決定システムとして、すべての社会のパターン維持に相補的に作用するというべきである。人間の労働力の再生産は、多様な人間社会の再生産システムそのものの内部に奥深く、かつ無意識の構造としてつねに組み込まれているのである。

2 モルガン＝エンゲルスの家族学説

だがエンゲルスのテーゼは、そうではなかった。エンゲルスは「人間の生産」というカテゴリーによって、社会的再生産から切り離された直接的生命の生産、すなわち種の繁殖（Fortpflangzung der Gettung）だけを念頭においていた。しかも、この「人間の生産」の展開をそのまま「家族の発展段階」として記述しようというのである。

いうまでもなく生物学的な人間の生命の生産は、まずなにより生殖すなわち男女の性的結合によってなされるしかない。エンゲルスは、この性的結合の具体的な実現形態をア・プリオリに「家族」とみなしてしまうのである。当然にも「家族」は、人類史をつらぬく普遍的カテゴリーとして設定され、その家族理論の主要なテーマは、性的結合を制度的ににになう婚姻の発展過程を〝自然淘汰〟によってたどることにならざるをえない。

エンゲルスは、晩期マルクスの遺稿である一八八〇～八一年の「古代社会ノート」を手がかりに、そのテキストであったL・H・モルガンの『古代社会論』(一八七七年)をひたすら唯物史観の立場から読みかえて、継承し発展させることにエネルギーを注ぐことになる。いうまでもなくこの研究成果が、『家族・私的所有・国家の起源』とりわけその第二章の家族理論として今日に残るものである。

よく知られているように、モルガンはまず、アメリカ・インディアンの一種族であるイロクォイ族の婚姻の配偶関係と親族呼称体系との関連の調査によって、家族の原始形態を推測し復元しようと試みた。たとえばイロクォイ族の子どもは、実の母だけでなく母の姉妹をも「母」と呼ぶ。モルガンは、いっけん不合理で奇妙なこの親族呼称のあり方をどう理解するかという疑問から親族組織の研究を進めていくことになる。

そして、世界各地の実態調査によって、多様な親族呼称体系に一定の規則性があることを確認するのである。それらは、親世代の男すべてを「父」、女すべてを「母」と呼ぶハワイなどにみられるマレー型、父とオジ、母とオバなど直系と傍系の区別がある北アメリカのトラニア゠ガノワニア型、父と母がそれぞれ一固体のみを指す西洋型という三つのタイプに大別することができる。モルガンは、婚姻制度という行為の体系よりも親族呼称という言語の体系の方が比較的ゆるやかに進化するという仮説にもとづいて、これらを時系列にならべて婚姻制度の発展法則を構想する。

モルガンによれば、人類の原始状態は、あれこれの規制がいっさいない無規律性交をともなう群れの生活であり、いまだ家族をもたず、母親だけが自分の子どもを知りなんらかの役割をはたすことができるだけの段階から始まる。

この原始状態から脱却し進化した、人類における最初の家族形態が「血縁婚家族(Blutsverwandtschaftsfamilie)」である。この段階では、種族が親の世代、子の世代、孫の世代というように世代ごとの婚姻集団に分けられ、性関係はその集団の内部だけで行なわれる。それゆえこの家族形態において、親と子、祖先と子孫は夫婦になれないが、兄弟姉妹は同一の世代集団に属し、すべての男女が夫婦としてあつかわれる。マレー型の類別親族呼称体系がこの残存形態であるとされる。

つづく家族の第二段階が「プナルア婚家族（Punaluafamilie)」である。ここではさらに同一世代内においても、兄弟姉妹間の性関係の禁止という新たな障壁がつくられる。こうしたインセスト・タブーは、同じ母をもつ兄弟姉妹から、やがて傍系のイトコ、マタイトコにまでおよぶ。モルガンが当時のハワイに見いだした家族形態がこれであり、兄弟姉妹を除いて「一組の肉親または遠縁の姉妹たち」が数人の夫を共同でもつ、あるいは「一組の肉親または遠縁の兄弟たち」が数人の妻を共同でもつものである。〝プナルア〟とは、ハワイの原住民の言語で、こうした集団婚を行なう共同の夫たちないしは妻たちが互いに相手を呼ぶ、「親しい関係」の意味である。北アメリカにおけるトラニア＝ガノワニア型といわれる類別親族呼称体系の残存がこれを示しているとされる。

同時に、この集団婚家族のもとにおいては、親子の出自の系列は母方でしか確認することができず、そこから共通の族祖母をもち、かつ族内婚を許されない女系による血縁集団が形成されざるをえない。こうしてモルガン＝エンゲルスは、プナルア婚家族から、J・バッハオーフェンが「母権制（Mutterrecht)」と名づけた血縁集団すなわち「氏族（Sippe)」を導き出すことになる。

次にモルガンは、こうした氏族間における集団婚のもとで、ある程度の対偶関係が生じ、やがてそれが習慣的に固定して一人の男と一人の女による性関係が成立する、とする。これが第三の家族形態である「対偶婚家族（Paarungsfamilie）」である。それは、婚姻の紐帯がいまだルーズで排他的な同棲関係が欠如しており、したがって気の向くあいだだけ継続され、どちらの側からも容易に解消できる性格の家族である。しかも女たちは母系の同一氏族集団に属するのに対し、男はさまざまな他の氏族に分属している。このことが「女性の優越の物的基礎」を維持する機能をはたしていると結論づける。[11]

エンゲルスは、以上のモルガンによる家族の進化学説を「生産手段の生産の進歩」と平行してほぼ忠実にたどったのち、これらに対して、今日みられる西洋型の「一夫一婦婚家族（Monogamiefamilie）」はその成立根拠を根本的に異にしていると主張する。

エンゲルスによれば、それは私的所有制度に規定されて初めて成り立つ。牧畜や農耕の発展による財産の私的蓄積は、権力を氏族から家族へ、さらにその長へと移し、男の権力を強化する。父から子への財産の相続の欲求は、やがて母権制を転覆する革命をひきおこすにいたる。それは「女性の世界史的敗北」である。この一夫一婦の単婚家族（父権制）の成立のためには、「今後は男の氏族員の子孫が氏族内にとどまり、女性の氏族員の子孫は締め出されて父の氏族に移るものとするという簡単な決議」だけあればよい。すなわち一夫一婦婚家族は、「父親が誰かについて議論する余地のない子どもを生ませる」目的でつくられた男の支配のための家族形態であり、これによって女性は、男の情欲をいつでも引き受けなければならない隷属状態に置かれ、子どもを産むための道具の地位に貶められた。したがってそれは、「妻にとってだけの一夫一婦制であり、夫にとってはそうでないという特有の性格をもつ」[12]とされるのである。

こうしてモルガン＝エンゲルスの進化主義的民族学説によれば、血縁婚家族からプナルア婚家族にいたる集団婚は、既成の天然物の取得を中心とした野蛮期（旧石器時代）に、対偶婚家族は、牧畜と農耕の知識がひろがり始める未開期（新石器時代）に、それぞれ対応する。そして一夫一婦婚家族は、工業による生産手段の生産にもとづく私的所有の成立を画期とする文明期（ほぼ青銅器時代以降）にあたる。こうした家族の発展段階は、すべての民族と種族が通過せざるをえない人類の進歩の必然的プロセスであるということになる。

3　ポスト・エンゲルスの家族諸学説

実証主義的批判

だがしかし、こうした家族の進化主義的シェーマにたいしては、当初からその実証性にも論理性にも大きな疑問が提示されていた。

まず、イギリスの民族学者L・ファイスンは、一八八〇年にオーストラリアの現地調査から、婚姻における二分族制度を発見し、これを氏族の原初的な形態として位置づけた。オーストラリアでは、種族自体が二つの分族にわかれていて、各分族内での性関係は禁止され、一方の分族のすべての男は、他方の分族のすべての女と生まれながらに婚姻関係にある。たとえばファイスンの調査した南オーストラリアでは、ある種族はクロキとクミテと呼ばれる二つの分族に分かれており、クロキの男たちはクミテの女たちを初めから正式な妻とし、クミテの男たちはクロキのすべての女たちを妻としている、というのである。

じっさいエンゲルスも、一八九一年の『起源』の第四版においては、このファイスンの見解を部分的に承認する。エンゲルスは、そこにおいて「集団婚にかんするわれわれの知識が根本的に豊かになったのは、イギリスの宣教師ロリマー・ファイスンのおかげである」と謝辞を述べて、モルガンによるプナルア婚家族からの氏族の形成という本流のプロセスとともに、その傍流としてではあるが、分族制度が氏族への一つの出発点を提供したという可能性の存在を認めている。そこでは、「個々人ではなく集団どうしが、すなわち分族と分族とが互いに結婚している」。この分族こそが「族内婚を許されない母系の血縁者たちの固定的な圏[13]」すなわち氏族そのものの出発点でありうるというのである。

さらに、その後のイギリスのW・H・R・リヴァースらによる民族学研究の進展は、モルガンの見いだしたハワイのプナルア婚家族が実証的事実に反するものであり、むしろ当時の支配的な婚姻形態は、すでに対偶婚ないし一夫一婦婚への進化過程にあったことを明らかにした。すなわち、ハワイ式親族呼称体系なるものは、モルガンの主張したようなアメリカ・インディアン型に先行する原始的なものではなく、そこではすでに氏族制度が崩壊過程にあり、アメリカ・インディアン型の種族からその氏族的特徴が失われて、より単純化することで成立したものであるというのである。

また、旧ソ連のIu・I・セミョーノフは、二分族制度がオーストラリア全域のみならず、メラネシア、ミクロネシア、ポリネシアやインドネシア、また中央アジア、シベリア、極東、アフリカ、南北アメリカなど広範囲の地域にみられること、モルガンがプナルア婚と見間違えた親族呼称体系は、この二分族制度の遺制と考えられることなどを実証的に明らかにした[14]。

こうしてモルガンが血縁婚・プナルア婚と名づけた野蛮期の家族の形態は、ほぼ全面的にその存在を否定されるにいたる。代わって彼らは、人類の原始社会は、分族婚という集団婚の形態から対偶婚という個別婚的形態へと発展したのではないか、という新しい学説を提起することになる。

そしてこの提起は、じつは、従来の「家族の起源」なるものの考察に根本的転換をひきおこすものであった。仮にエンゲルスにならい、夫と妻の婚姻関係を「家族」と命名するならば、こうした分族婚においては、互いに婚姻する二つの氏族の全体、いわゆる胞族（phratry）そのものを家族と呼ばざるをえないからである。そしてこのことは、対偶婚家族の段階にも同様にあてはまる。氏族社会において婚姻結合体は、たとえ対偶婚であろうとも、二つの外婚氏族にまたがって組織されており、決して氏族の内部におさまる一つの構成単位ではありえなかったのである。

エンゲルスといえども、このことを認めざるをえない。

「家族は、氏族制度のもとでは、決して一つの組織単位ではなかったし、また、そうありえなかった。なぜなら夫と妻は必然的に二つの異なる氏族に属したからである。氏族は完全に胞族のなかに入り込み、胞族は種族に入り込んでいたが、家族は半ば夫の氏族に、半ば妻の氏族に編入されるしかないのである。(15)」

こうして、家族理論の研究の進展とともに、モルガン＝エンゲルス学説は大幅な修正を余儀なくされた。旧ソ連の正統派マルクス主義人類学を代表するA・G・ハルチェフでさえ、「血縁婚家族」や「プナルア婚家族」をもはや本来の家族の一形態としてではなく、原始的な種族組織の形態をあらわすにすぎないものとみなし、また、「対偶婚家族」をも、それが独自の生計を必要とする構成単位ではなく、前代からひきつがれた共産主義的氏族を決して破壊しようとしない種族の下位組織として位置づけるにとどめるのである。(16)

機能主義人類学による批判

そのうえ、二〇世紀に入り非マルクス主義である機能主義人類学の立場から、原始の乱婚や無規律性交はおろか集団婚の存在そのものを否定する見解が提起されるところとなった。こうした見解は、すでに一八九〇年代からE・ウェスターマークやH・クノーらによって提唱されてはいたが、B・K・マリノフスキーがモルガンの類別親族呼称の解釈を真っ向から否定し、人類はその原初段階から一夫一婦婚が支配的であったと主張したのである。

マリノフスキーは、南太平洋のトロブリアンド諸島を中心としたフィールドワークによって、家族の多様性を実証的に問い直した。そして母系制社会では、母を介して親族がたどられるため母系＝姉妹をとおして相続が行なわれ、姉妹との近親相姦がタブーの頂点に置かれることを証明した。そしてそこでは、子どもに対する「親」の権威は、母の男兄弟に置かれ、実の父親は服従の対象ではなく「子どもの愛される友」となることを説いたのである。

このことは、モルガンの親族呼称体系の理解が根本的に誤りであることを明らかにするだけでなく、バッハオーフェンのいう「母権制」の存在をもまた否定するものであった。すなわち、人類史の出発点が母系制氏族に始まるにしても、それはいわゆる「母権制」ではなく、氏族の権威は一般的に母方のオジを中心に編成されていることを実証したのである。

さらにここからマリノフスキーは、一夫一婦婚制を、たんなる婚姻のプロトタイプとみなすにとどまらず、かつて現存したとされる一夫多妻婚や集団婚も、このパターンとしての一夫一婦婚の複合形態であるという。それらは、夫の権威の一時的、部分的な譲渡によって成立したものにすぎず、夫（男）が複数の単婚家族に重複して所属していることを意味するにすぎないのである。[17]

こうした主張は、その後、G・P・マードックによる親族呼称体系を決定する要因の統計的・社会学的な分析によっていっそう補強されたといえよう。マードックは、核家族に始まりその合成体としての拡大家族あるいは複合家族、さらにその上位概念である系族（lineage）や血族（kindred）、氏族（clan）にいたるまで、さまざまなレヴェルの親族集団を対象にして、親族呼称法の変化を生み出す決定要因を逐次検討していった。そして、それがまず親族集団の出自に規定され、次に婚姻とそれにともなう家族形態、さらに居住形態によって影響をうけることを明らかにした。これによって、あらゆる家族形態のなかに夫婦と未成年・未婚の子供からなる「家族核」が普遍的に存在することを説いたのである。[18]

こうして今日、しだいに一夫一婦婚の歴史貫通性が証明されつつあるといえる。だがしかし、そのことがただちに、すべての社会の構成単位として「家族」の普遍性を主張することにつながるものでないことは言うまでもないだろう。単婚（一夫一婦婚）であるか否かにかかわらず、男女の婚姻結合体をそのまま「家族」とみなす、エンゲルス以来の近代の常識的家族観それ自体が反省され問い直されねばならないのである。

レヴィ-ストロースの家族学説

このことは、その後のCl・レヴィ-ストロースらによる構造主義人類学の研究によって、より整合的に説明されたといえよう。

周知のようにレヴィ-ストロースは、なぜ、多くの未開種族において、父方の兄弟の子同士あるいは母方の姉妹の子同士の婚姻である「平行イトコ婚」がタブーとなっているのか。また逆に、父方の姉妹の子ないしは母方の兄弟の子との婚姻すなわち「交叉イトコ婚」が奨励されているのか、という疑問をもった。そして、この構造を母方のオジの権威の由来と整合的に説明しようとした。すなわち、個人を自明視する西欧のキリスト教的な既成観念をしりぞけ、親族の基本単位を、父／子、母方のオジ／オイ、夫／妻、妻／妻の兄弟という相関的関係において考察することを試みたのである。

こうしてレヴィ-ストロースは、近親婚の禁忌(inceste taboo)を、なによりも氏族相互間における「女性の交換」モデルから説明することになる。すなわち、男が自分の娘や姉妹を性的対象とすることを禁止するのは、娘や姉妹を誰か他の男に与える必要があり、そのことによって男に、他の男の娘や姉妹をもらい受ける権利がもたらされるからである。レヴィ-ストロースによれば、未開社会において、平行イトコの婚姻が禁忌され交叉イトコの婚姻が広範に見られるのは、こうした交換のシステムにもとづくものであることになる。

たとえば種族が単系的な双方組織に区分され、一方の氏族の男は他方の氏族の女と婚姻しなければならないとするならば、交換が成立するためには平行イトコの婚姻は禁止されなければならない。なぜなら父系社会における双方組織の場合、一方の氏族の女が他方の氏族の男と婚姻するとその氏族は成員を失うことになるため、将来、他方の氏族から女をもらい受けることでこれを回復しなければならない。このために、自分と同じ氏族に属している平行イトコは婚姻の対象から除外される。これがオーストラリアの親族をめぐる民族誌的データによって析出された「女性の限定交換（échange restreint）」モデルである。

さらにレヴィ-ストロースは、こうした二つの氏族間の「限定交換」モデルと比較して、三つ以上の氏族の間で行われる「女性の一般交換（échange généralisé）」モデルを考察する。「限定交換」では、父方の姉妹の子どもでも母方の兄弟の子どもでもどちらでもよい「両面的交叉イトコ婚」であったのに対して、「一般交換」においては、そのいずれかを優先する「一面的交叉イトコ婚」にならざるをえない。

たとえば母系社会の場合、男が父方の姉妹の娘と婚姻する交叉イトコ婚では、世代が代わるごとに婚姻する相手の氏族が異なることになり、氏族組織の構造的な不安定をもたらして種族の統合を破壊してしまうことになる。これに対して母方の兄弟の娘と婚姻する交叉イトコ婚は、交換のサイクルが長く安定した継続的関係を可能にする。このような「一般交換」モデルの存在は、シベリアと南アジアを結ぶ線上に存在する中国およびインドの膨大なデータによって裏づけられる。こうしてレヴィ-ストロースは、「両面的交叉イトコ婚および母方的交叉イトコ婚は、それぞれ全体的体系を構成する」と結論づけることになるのである。

すなわち、こうした交叉イトコ婚が優先される深層構造には、女性をもらい受けた氏族が今度は女性を譲り渡すというかたちで、女性の交換という動態的で安定した氏族間の統合システムが存在することになる。一夫一婦婚は、このような女性の交換による氏族外婚制度（exogamie）に支えられ、構造的に近親姦の禁忌（interditde l'inceste）を実現する機能をはたしているといえるのである。[19]

このようなレヴィ-ストロースの学説は、種族という共同体の内部におけるある種の互酬関係を分析したものと理解するのが一般的であるかもしれない。だが氏族は、たんなる種族共同体のサブシステムにとどまらず、それ自体が同時に、内部に商品交換を生じせしめない語の厳密な意味での「共同体」を構成している。それゆえ、婚姻はつねに、氏族共同体がその外部に対して行なう最初の交換関係であり、したがって「家族」という単位は、けっきょくのところ氏族（clan）ないしそれを包括する種族的な共同体（Gemeinschaft）が存在するかぎり、独立した社会的単位とはなりえない。家族は、それらの共同体が解体し終わったのちにしか、社会（Gesellschaft）の内部に登場することがありえなかったと結論することができるのである。

4　文明期における個別家族論

こうして現在の理論レヴェルからすれば、家族はモルガンの説いたような「血縁婚家族」から、順次、発展段階的に進化したと考えることはできない。まったく逆に、家族は、氏族に始まる原始的な共同体の解体をとおして初めて成立する。

あえて「家族の起源」というエンゲルスのコンテキストにこだわるならば、家族は、種族的・氏族的な共同体が土地の所有によって崩され、この所有の主体が共同体的紐帯をうち破って社会の新しい経済単位として登場する過程に、その〝起源〟を求めるべきことになろう。

じっさいエンゲルスは、こうした家族を「個別家族（Einzelfamilie）[20]」というタームで表現し、それは原初的な共産主義的合同世帯の消滅をまってようやく誕生する、という。これをふまえて江守五夫らは、血縁婚家族・プナルア婚家族といった集団婚および対偶婚家族について人類史上におけるその実在説を擁護しつつも、これらの「家族」としての性格を否定し、「個別家族」だけを語の厳密な意味での〝本来の家族〟であると規定する。これによって、『起源』の序文においてエンゲルスが未開社会の規定要因を「種の繁殖」という自然淘汰の法則にゆだねてしまった難点が克服でき、「物質的生産」だけを人類史の規定要因とする唯物史観の一元性をつらぬくことができる[21]、というのである。

たしかに、こうした理解に即せば、『家族・私的所有・国家の起源』というエンゲルスのつけたタイトルの意味もいちおうは明確になろう。私的所有制は、共同体社会をゲゼルシャフトリッヒな人間関係につくりかえ、一方でその構成単位としての家族を初めて生みだし、他方でこの私的所有を保障する国家を組織せざるをえない。この三つの〝起源〟は、まさに時間的に同時であることになる。エンゲルスはいう、

「文明に対応し、文明とともに決定的に支配的となる家族形態は、一夫一婦制であり、女性に対する男性の支配であり、そして社会の経済的単位としての個別家族である。文明社会を総括するのは国家であり、その国家は、およそいかなる時期においても例外なく支配階級の国家であり、本質的に、被抑圧・被搾取階級を抑制するための装置なのである。[22]」

だが、以上のようにエンゲルスの著書のタイトルを好意的に理解するにしても、文明社会と私的所有社会と階級社会とを直接にイコールでむすび、その経済的単位をおしなべて一夫一婦婚の「個別家族」とするシェーマには、なお大きな疑問が残るといわねばならない。

マルクスの唯物史観の言い古されたドグマによれば、人類の文明社会には「アジア的、古代的、封建的、および近代ブルジョア的の生産様式」があり、社会の歴史はこの発展段階を継起的にたどるものとされてきた。しかしながら、今日ではこのドグマの正当性は留保され、むしろ『経済学批判要綱』「資本主義的生産に先行する諸形態」において具体的に分析されたように、これらの生産様式は、近代ブルジョア社会に先立って共時的・並列的に存在した地域的共同体の類型であると理解されるようになりつつある。

だがそれにしても、これらの文明期に属する多様な社会構成体において、はたしてエンゲルスのいう「個別家族」なるものを共通する経済的単位として析出できるものであろうか。

まず、アジア的共同体における「家族」なるものを見てみよう。

エジプト・メソポタミア・西パキスタン・中国北部などは、未開社会の氏族制度をながくその基礎に温存したまま、高度の文明社会を形成した典型であるといわれる。アジア的形態を特徴づける基本的な社会組織は、それぞれの氏族・胞族・種族とその連合の上に最高統一体の首長が君臨するものであり、諸個人は、私的所有を完全に欠落し、この権力体のために共同労働ないし貢納をするいわゆる総体的奴隷制としてあらわれる。ここにおける氏族とそのメンバーの無所有は、じつはアジア的専制主義にまで組織された種族共同体的所有を表現するにほかならないことになる。

したがってアジア的共同体において「家族」があらわれるにしても、それは私的所有や生産・分配の単位として自立しておらず、夫と妻は別々の氏族組織に引き裂かれたままであった。夫と妻は、それぞれの氏族(clan)ないしその下位組織であるサブ・クランに分かれて、数個のロング・ハウスで別々に生活し、これが生産や消費の唯一の活動単位を構成していた。したがって、アジア的文明社会において、個々の対偶婚関係ないし一夫一婦婚が成立していたにしても、婚姻結合体は独自の「個別家族」たりえなかったというべきであろう。[23] アジアにおける夫婦の別姓(別氏)制度はまさに、家族に対するこうした氏族の圧倒的優位を象徴するものであり、アジア的共同体は、同一氏族の族内婚をタブー視するかたちで今日まで強固に存続しつづけていることになる。

では、古典古代的共同体では「家族」はどうであったか。

ギリシア・ローマの都市国家においては、アジア的形態と異なり、すでに早期に氏族共同体による直接的共同所有は衰退していたといわれる。ここにおいて個々の成員は、他の共同体との関係においてつねに軍事的な戦士共同体を組織せざるをえず、土地は、一方で個々の家族による分割地として、他方で種族共同体を維持するための共有地としてあらわれざるをえない。

エンゲルスによれば、古典古代期は古い血縁制的紐帯がゆるんで、すでに単婚家族に移行していたとされる。しかしたとえば、ローマのファミリア(familia)なる形態は、たんに妻子のみならず非血縁者である奴隷(famulus)をその内部に含んでおり、両者ともに、専制的な家父長権(Patria Potestas)の圧倒的支配下に生殺与奪の権を握られていた。婚姻形態は単婚であっても「個別家族」ではなく、家族は家父長制の世帯共同体の内部に埋もれた存在であったといわねばならない。
しかも、妻子や奴隷の前提に家父長があるのと同様に、この市民としての家父長そのものの前提には共同体（polis）があった。ポリスは、いわば「市民」の家父長であり、こうして「家族」であるはずのファミリアそのものが、さらにポリスという大家族的共同体を構成していた。ここでも、「個別家族」なるものが社会の経済的単位になることはありえず、それはポリス的共同体のなかに有機的に組み込まれていたのである。[24]
このことは、ゲルマン的共同体における「家族」についてもあてはまるだろう。
エンゲルスは『起源』第一版で、ドイツについて「氏族制度は、幾世紀ものあいだ、マルク制度という変形した地縁的形態で存続する」と述べた。しかしその後M・コヴァレフスキーの研究にふれて見解を訂正し、マルクを、太古の氏族組織の解体後にできあがった村落共同体とみなすようになる。[25]
土地は共同体によって占取され、その利用に共同体規制の枠がはめられているにしても、私有の契機が宅地・庭畑地・耕地のほか共同地持分にまでおよんでいる。ゲルマン的共同体は種族組織の極限的形態であり、すでに独立の共同体ではなく、私的自立性を強めたメンバー相互の協同関係という相貌に近づいている。
これに対応して、各世帯は財産の私的占取について相対的に独立した地位をもち、家父長権（Munt）は比較的弱く、一夫一婦の単婚家族が一般的であるとされる。
しかしその上につくられたとされる封建制社会においても、家共同体（Hausgemeinschaft）は、なにより住居の共用と共産制の原理にもとづいて成り立つ親族の扶養共同体であり、子どもの養育共同体であり、家父長の権威と成員の恭順関係を基盤とする共同体である。それはたしかに、家計をともにする単位組織として、夫婦と子供の「家族」を核とするといってもよいが、むしろ一般的には、よりひろく孫や兄弟姉妹から傍系血族、さらに僕婢・徒弟・職人など非血縁の奉公人まで包含する、いわゆる「全的な家（ganzes Haus）」として存在したのである。[26]

このようにみてくると、いわゆる文明期を、私的所有原理に規定された「個別家族」の時代としてひとまとめにすることは適切でないだろう。同じ文明期といっても資本主義以前の共同体社会においては、「個別家族」は決して共同体から独立した固有の経済的単位に成りえていないのである。

もっともエンゲルスは『起源』の第四版において、対偶婚と一夫一婦婚とのあいだに新たに「家父長制家族」という過渡期的な段階を挿入している。[27] それは奴隷制を前提とし、妻と代替可能な女奴隷が存在することを前提とした個と集団の結合すなわち一夫多妻の大家族であるとされる。だがそれは、エンゲルス自身の説いた婚姻形態の進化過程としての「家族」とはまったく位相の異なる人間の集団形態であり、とりわけそれ以前の対偶婚家族とどのように整合的発展関係にあるのか、エンゲルスは論理の混乱をひき起こしていると言わざるをえない。むしろ家父長的家族は、たんなる婚姻形態の進化としてではなく、ひとつの大家族的共産世帯と考えるべきであり、アジア的であれ古典古代的であれゲルマン的であれ、「共同体」に埋め込まれてその一分肢をなす、「共同体」の下位組織とみなすべきであろう。

こうして、資本主義以前の社会システムは、それ自体が政治制度や宗教儀礼、親族構造、さらには土着的習俗などと一体の「人的依存関係」から成り立ち、いまだそこから家族なるものが分離して顕在化することはありえないことになる。

すなわち、「個別家族」が社会の構成単位として自立するためには、家族の夫と妻を引き裂いていた氏族や種族の紐帯が断ち切られ、さらに、その変容形態である共同体組織そのものが完全に解体をとげる資本主義的市場社会の成立を待たねばならなかった。資本主義が旧来の共同体を消滅させたとき、逆に、商品経済的連関はその結節にはじめて「個別家族」という新たな共同体を要請することになるのである。

5　エンゲルスの近代家族論

だが、エンゲルスの近代資本主義家族についての分析は、このような方法ではまったくなかった。

エンゲルスにとってブルジョアの家族は、過去五〇〇〇年にわたり文明期をつらぬいて存在した一夫一婦婚のたかだか一つの形態とみなされていたにすぎない。資本主義のもとにおいても一夫一婦婚家族は、それ以前の文明期と同様に、ただ父子関係について争う余地のない子どもを生ませるという目的のためにだけ維持されている。それは将来、父の財産を息子に相続させることを保障するための、まさに夫による支配の制度だというのである。

ブルジョア法の理念によれば、婚姻は、双方の自由意思にもとづいて結ばれた一個の対等な契約であるはずである。だがエンゲルスによれば、その実質は決してそうではない。それはもともと、私的所有の維持という経済的利害だけにもとづく「便宜婚（Konvenienzehe）」なのである。ブルジョア家族は、カトリック諸国では親が息子に適当な妻を与える制度であり、夫の側での娼婦制と妻の側での姦通に補足されて初めて成り立つ。またプロテスタント諸国においては、恋愛結婚に疑似した形式をとることがあるにしても、けっきょく、鉛のような倦怠に落ち着くだけのものである。こうしてエンゲルスはいう、

「近代的個別家族は、妻の公然または隠然の家内奴隷制のうえに築かれており、近代社会は、個別家族だけをその構成分子とする一つの集団なのである。こんにち、少なくとも有産階級では、夫は大多数のばあい稼ぎ手であり家族の扶養者でなければならないが、このことが彼に支配者の地位を与えるのであって、これには法律上の特権を一つも必要としない。夫は家族のなかでブルジョアであり、妻はプロレタリアートを代表する。(28)」

しかしながら、打って変わってこの見解は、プロレタリアの家族については当てはまらない。なぜなら、そこではブルジョア的な単婚の基盤がすべて取り除かれているからである、とエンゲルスはいう。

「単婚と男性の支配とは、財産の保全と相続のためにつくりだされたのであるが、(プロレタリアの家族には)その財産がまったく欠けており、したがって男性の支配を主張する動機もまったく欠けている。(29)」

そのうえ、プロレタリアの妻は主として経済的窮乏のために家庭を離れて、労働市場へ、工場へと進出せざるをえない。このことが夫の支配の最終的残滓をもすっかり奪ってしまう。つねに単婚とともにあった娼婦制も姦通も、ここではほとんど役割を演じえない。女性は離婚の自由を実際にとりもどす。要するにプロレタリアの家族は、言葉の語源的な意味では単婚であるが、その歴史的な意味では、もはやすでにそうではないことになる。

こうしてエンゲルスは、プロレタリア家族の延長上に、その後に続くとされる社会主義社会における「家族」をきわめてオプティミスティックに描きだす。

そこでは、相続可能な私的財産を共同所有に移行させることによって、個別家族は社会の経済的単位であることをやめる。私的家計は一つの公的産業へと転化し、嫡出子であろうと私生児であろうと子供の養育や教育は公共の仕事となり、さらには家事のいっさいが社会的事項に移る。こうして私的所有とそれにともなう副次的な経済的考慮、すなわち女性の自立へのあらゆる不安がとり除かれる。両性は自由な意思により真に平等な関係をつくることが可能となる。このとき、ようやくひとつの新しい男女の関係が作用しはじめる。すなわちエンゲルスは、単婚が形成された当時、せいぜい萌芽として存在したにすぎなかった「個人的性愛」が、社会主義のもとにおいて初めて現実のものとなる。すなわちリベラルな男女の関係がそこで実現されるというのである。(30)

以上のようにエンゲルスは、近代家族を、ブルジョア家族、プロレタリア家族、そして社会主義「家族」というシェーマによってスケッチする。

そこには、一八七七年の『反デューリング論』において定式化された、生産手段の私的所有と社会的生産とを対立的にとらえ、それをストレートに階級的不平等の原因とする唯物史観のドグマが、そのまま家族の内部に適用されているといえよう。ここには、マルクスの『資本論』のような資本主義にたいする構造的・システム論的なアプローチはまったくみられない。この限界が、その近代家族認識に集約的にあらわれていると思われる。

次に近代の各階級家族なるものの問題点を、順をおって検討してみたい。

6　近代家族の発展史観批判

ブルジョア家族とプロレタリア家族論の批判

エンゲルスにおいては、近代の私的所有はなによりも商品の所有であるという認識がまったく欠落している。そこではブルジョア（資本家）家族の私的所有が、王族の財宝や領主の土地と同じように、属人的に階級に固着して子々孫々まで不動のまま受け継がれる財産としてしか考えられていない。しかし資本主義とは、なにより商品と貨幣のたえざる移転をつうじて自己増殖する運動態であり、ブルジョアに帰属する所有とは、すべてこの資本連関の結節としての商品である。つねに所有は譲渡され続けられねばならないのである。

このことは、たとえば工場や機械設備などの固定資本といえども同様である。それは、資本の回転をとおし徐々に価値が移転し償却される商品にすぎない。なるほど、こうした生産手段の回転には長期の時間を要し、ときには数世代にわたる場合もあり、そのため遺贈や相続という所有の継承が生じる。だがそれは、あらゆるモノに一物一権の所有権を設定し、商品性を保持せざるをえない資本主義のシステマティックな要請である。少なくともブルジョア個人の意思によるものではない。ブルジョアにおける私有財産の相続がただちに「夫の妻に対する支配」のためのものであるとは、とうてい言えないであろう。

むしろ反対に、所有権のもつ商品としての流通性は、ブルジョア法上、合理的な契約イデオロギーを全社会関係に普及させる。この意味で、男女の婚姻までをも個人の自由意思による合意（契約）とみなす「性愛家族」こそ、あらゆるものを商品化する資本主義社会にふさわしい形態といえよう。相互に対等な契約婚にもとづく家族という理念は、私的所有制度にもとづくブルジョア家族に根拠をもった一つの典型的なリベラリズムの法イデオロギーとさえ言いうるのである。

このことはプロレタリア家族なるものにも当てはまるだろう。

エンゲルスは、プロレタリア（賃労働者）をたんに無産者として、私的所有イデオロギーから完全に解放された存在としてとらえる。だが資本主義システムは、労働者といえども、つねに、労働力を販売して賃金を獲得し、この賃金で生活資料を購買する行為を反復することをつうじて、彼を私的所有者にしてしまうのである。プロレタリア家族は奴隷や農奴とは根本的に異なり、市場メカニズムをつうじて生活を再生産する以上、商品経済的な私的所有イデオロギーから決して自由ではありえない。

とりわけ家屋や日常の道具、交通手段、娯楽品などの耐久消費財は、消耗し終えるまで私的生活をとおして長期的に所有せざるをえない。それは、ブルジョアの生産手段とおなじく、私有財産として遺贈や相続を必要とする。仮にエンゲルスの説くように、私有財産の相続が家族のなかで夫の支配を生じさせるとするなら、プロレタリア家族も、決してこれを免れることはできないであろう。

エンゲルスはさらに、妻の労働市場や工場への進出を女性の解放の根拠にあげている。だが、その進出が資本主義システムのもとでどこまですすむか、はなはだ疑問である。また、たとえそれが夫と同じ程度まですすんだと仮定しても、妻の労働力の商品化は、女性をも商品経済的な私的所有イデオロギーに不断に巻き込まざるをえないであろう。その結果、たしかに女性は、名実ともに男性と対等な私的所有者となるかもしれないが、それは、私的所有者相互の契約というブルジョア法的な関係がプロレタリア家族内にも貫かれることを意味するだけである。

プロレタリアの婚姻は、ブルジョア家族と同様に、ますます私的所有の維持という経済的利害にもとづくものとなる。夫婦は互いに他人同士の契約となり、エンゲルスのいう「便宜婚」に向かっていかざるをえないのである。

社会主義「家族」論の批判

このことがエンゲルスの社会主義「家族」論をも規定する。

もともと婚姻を独立した個人の契約の一種とみなす家族理論は、なにもエンゲルスの社会主義論のオリジナルではなく、一七世紀以来、近代自然法の理論家によってさまざまに展開されてきたものである。(31)

よく知られているように、Th・ホッブズは、人間の自然状態を万人の万人にたいする戦争状態としてとらえ、そこから個人の契約による社会状態への移行を説いた。ホッブズは、その家族理論においても、自然状態において父親は家族員に対して生殺与奪の権をもつ主権者であるとし、コモンウェルズを設立する契約をつうじてその権力を国家に譲り渡すものとするのである。すなわち、ホッブズは社会状態における契約家族論を展開した最初の思想家であり、当時の夫（父）による妻に対する支配の現実を「同意による服従」という契約の原理によって説明しようと試みたのである。

またJ・ロックは、自然状態における家族を、労働により私的所有権を確立する個人の任意契約による平等な私的集団として捉えている。しかしながらそれが社会状態に移行すると、一般的財貨としての貨幣の発明によって富の集積による不平等が生じるとして、財産権と相続の機能こそが、父権に対する妻子の服従の義務を発生させるという。したがって社会状態においては、夫（父）が家族の最終的意思決定権者たらざるをえないとしている。

さらにI・カントも、こと家族論にかんしては、明らかに自然法的社会契約論をそのまま踏襲するものであった。カントは男女の性的関係を、一人格が他の人格によって物件として取得されるとともに反対に前者が後者を取得するという関係でもあるとして、それは婚姻という契約のもとにのみ許されるものであるという。すなわち婚姻とは、両性が生殖器と性能力すなわち互いの性的特性を交互に使用する権利を生涯永続的に占有するための物権的様相をもつ対人権であると規定される。そしてこの婚姻契約は、夫の自然的優位のもとにおいては、妻が、家族の共通の利益を維持するために所有の権利をみずから放棄する契約にならざるをえないと結論したのである。

したがってエンゲルスに、わずかでもこれらと異なるオリジナリティが認められるとするならば、それは、たんに夫による妻子に対する支配の根拠を財産の私有に求めるのみならず、そうした支配の終焉を私的所有の廃止にもとめ、自然法にいう平等な契約家族理念の完全なる実現を社会主義「家族」に託した点にあるというべきであろう。エンゲルスの述べる「個人として平等な男女の性愛による結合」なるものは、けっきょくのところリベラルな自然法論者の説いた、相互に対等な個人としての契約以上のなにものでもない。そこには、ブルジョア的な商品交換のイデオロギーと区別された、家族に固有のいかなる紐帯も見いだしえないのである。

それはむしろ、「家族」の内部においても商品経済的な自由・平等の原理の全面的貫徹を展望し、これを市民社会一般に解消するロジックであったといえよう。

じっさいA・ベーベルは、社会主義における「家族」について、女性は男性と同様に自由であり、婚姻は、愛情以外のなんらの顧慮も要しない、それゆえ国家の干渉を必要としない個人間の完全な契約になると言う。すなわち社会主義においては、私的所有が消滅するために相続権は問題とならず、子どもによって女性の自由は損なわれず、子どもはただ彼女の生きる喜びを増すだけのものとなる。したがって、夫婦の間に不和や失望や嫌悪が生じたときには、道徳は、不自然で不道徳となった婚姻という契約の自由な解消を命ずることになるというのである。(32)

エンゲルスの社会主義「家族」論は、これを弁証法的形式で補強するものであった。

かつてロシア革命直後の旧ソ連において、Ia・N・ブランデンブルグスキーやS・Ia・ヴォリフソンが社会主義における家族消滅論を唱えて婚姻登録の廃止による事実婚主義を推し進めたのは、じつに、こうしたエンゲルス＝ベーベル理論の一つの帰結であったように思われる。じっさい、一九一八年にはウラジミールにおいて「女性の国有化と自由恋愛局の設置に関する特別法令」が発布され、A・M・コロンタイは、男女の性愛関係は当座の喉のかわきをいやす〝一杯の水〟にすぎない、すでに家族は社会的に無用となったとその消滅を高らかに宣言したのである。

しかし、その後一九三〇年代に入ると、こうした性の放縦の主張はレーニンによって批判されるところとなり、L・D・B・トロツキーのいう〝家族におけるテルミドール〟がおきる。これにもとづいて、N・I・ブハーリンやI・V・スターリンは「家族こそ社会主義社会の基礎的細胞である」として、エンゲルス理論の名のもとに登録婚主義と離婚の法的制限によって真の一夫一婦婚家族の強化を提唱するようになる。やがてそれは、旧ソ連や東欧諸国家の公認イデオロギーとなっていくのである[33]。

こうした社会主義による家族消滅論と家族強化論とは、一見すると正反対の主張のようにみえる。だがいずれも、独立した平等な個人をあらかじめ〝実体〟として設定し、その自由な意思にもとづく契約婚を理想のものとするエンゲルスのロジックの継承であることに変わりはない。このことは、スターリン批判をうけた一九六〇~七〇年代以降の末期のソ連邦が、「社会主義的適法性」や「全人民国家」のスローガンのもとに、ふたたび人民男女の同質性原理を全社会的に啓蒙せざるをえないというアイロニカルな方向をたどっていったことに象徴的に示されていよう。

フェミニズム家族論批判

そして旧ソ連邦の衰退から崩壊をへて、一九九〇年代以降は、社会主義家族理論に代わるものとしてマルクス主義フェミニズムおよびラディカル・フェミニズムなるものがもてはやされることになる。たとえば上野千鶴子らは、「資本制と家父長制の二重の抑圧」なるシェーマのもとに、生産における階級支配と再生産における性支配とを独立変数とみなして、当面の戦略をもっぱら後者へと集中する。彼女らは、「再生産」というタームから資本主義の再生産過程や労働力の再生産という重要な意味を完全に消し去り、人間の生殖を中心とした男性による女性支配のみを、社会的再生産から切り離してテーマ化する。その結果、資本主義における無償の家事労働（不払い労働なるもの）に対する搾取や社会的権力としてのファロクラシーへの批判、そして性別役割分業からの脱却にすべての焦点が絞られることになる。(34)

だが、そのいきつくところは、個人としての女性の自立という主張のもとに、しょせん現代資本主義の市場システムがつくりだすリベラリズムとアトミズムを積極的に後押しするものでしかない。たとえ社会主義の階級一元論を批判できたとしても、自然法思想家やエンゲルスと同じく家族論を婚姻関係の問題に還元し、市場原理による男女の契約関係を肯定して追求することにならざるをえないのである。

エンゲルス・テーゼは、「物質的生活の生産」と「生殖による人間の生産」という二元論を出発点に据えて、財産と婚姻の発展から、それぞれブルジョアと男性の支配をひきだすものであった。今日のフェミニズムの説く「資本制と家父長制による二重の抑圧」理論は、たとえ「マルクス主義」の名を冠しようとも、この二元的生産論の現代的焼き直しを超えるものになりえない。それは、「ジェンダー平等」の名のもとに、女性が男性と同様に労働力を商品化する夫婦関係を積極的に肯定し推進することに帰着せざるをえないであろう。フェミニズムによる資本主義的市場経済の礼賛は、男女の契約関係という狭い視野からしか家族をみることができなかった理論の必然的な帰結なのである。

つまるところ、エンゲルスやその後継理論においては、家族内部の不平等や差別を非難することはあっても、「家族」そのものを、個人と社会の間に存在する〝中間的共同体〟として正当に位置づけることができなかった。資本主義という市場経済システムのなかで、社会的単位としての「個別家族」カテゴリーがもつ意味をなんら解明できずに終わったのである。

そして、エンゲルスのこの限界は、その後の家族理論とりわけフェミニズム理論において克服されるどころか、いっそう増幅されて、いまや、マルクス主義家族論はもう古い、すでに終焉した、という大合唱だけがかまびすしく聴かれることになる。

三　マルクス家族理論の発見

1　家族の起源論から構造論へ

マルクスの家族概念

ところでマルクス主義なるもののイデオロギー的評価はともかくとして、マルクス自身の家族にたいする認識は、はたして以上のエンゲルスと同じであっただろうか。

まず確認しておくべきことは、マルクスには、エンゲルスのように婚姻形態の進化をもって家族の発展過程とみなす視点が見あたらない点である。したがって、青銅器時代いこう五〇〇〇年以上にわたる文明史をひとまとめに私的所有制にもとづく一夫一婦婚家族の段階とする見解は、マルクスのどこにも存在しないといわねばならない。

マルクスには「家族」というタームについて、例えば次のような用語法がみられる。(35)

「種族的所有の段階では、分業はまだきわめてわずかしか発達しておらず、家族内に存在する自然発生的な分業のいっそうの拡大にとどまっている。それゆえ社会編成は、家族の拡大（Ausdehnung der Familie）にとどまっている」（『ドイツ・イデオロギー』）

「土地所有の第一の形態では、なにより自然発生的な共同組織が第一の前提としてあらわれる。

すなわち家族と種族にまで拡大した家族（im Stamm erweiterte Familie）、ないしは家族間の通婚による拡大せる家族ないしは種族の連合である。」（『経済学批判要綱』）

「一家族の内部およびさらに発展した一種族の内部で、性と年齢の違いから、それゆえ純粋に生理的基礎の上に、自然的な分業が発生する。」（『資本論』第一巻）

これらのいずれの論述においてもマルクスは、〝家族〟を、分業とともにあらゆる社会の基礎をなす構成単位して捉えており、それゆえ、「拡大家族」および「種族にまで拡大した家族」、「家族の発展した種族」といった表現を、自然発生的な氏族から種族にいたる共同体の社会編成そのものと同一の意味で使用するターミノロジーがみられる。すなわちマルクスは、「家族」というタームを、エンゲルスのようなたんに両性の婚姻結合形態の意味においてではなく、あくまでも所有主体としての氏族に代表される共産的世帯を表現するものとして使っていたふしがある。

もちろん一般的には、これはマルクスがモルガンの著作を読む以前の見解であるとされ、たとえば一八八三年の『資本論第一巻』第三版において、編者であるエンゲルスは、第四篇一二章の家族にかんするマルクスの記述に批判的な補注を付記している。

「人類の原始状態にかんするその後のきわめて根本的な研究は、著者（マルクス）を次のような結論に導いた。すなわち、原初的には家族が成熟して種族になったのではなく、逆に、種族こそが血縁にもとづく人間の社会編成の原初的で自然発生的な形態なのであって、始まりつつある種族的紐帯の解体から、のちに初めて、おそらくはさまざまの家族の形態が発展したのである。」[36]

たしかにエンゲルスによるこの補注の指摘は正当であろう。原初的な所有主体としての共同体的社会編成の単位は、「種族（Stamm）」と呼ぶべきであって、それは決して「家族（Familie）の拡大」ではありえず、むしろ正確には、血縁にもとづく氏族（Sippe）の複合体というべきものである。当時の人類学的研究の水準に照らしてみても、マルクスの「家族」概念の誤りは明らかである。

しかしこのことを指摘しても、晩期のマルクスが自らの家族論の間違いに気づいたという証拠にはならないだろう。少なくとも、エンゲルスの説くような未開社会の集団婚から文明期の一夫一婦婚にいたる婚姻の自然淘汰史観を、マルクスが「家族」論として共有するにいたったという確証はどこにもないのである。

注意すべきは、マルクスの『資本論』は、あくまでも資本主義市場システムの特殊性の解明に焦点があてられていたことである。マルクスには未開と文明とを判然と区別する視点は存在しない。むしろ奴隷制や封建制などの前資本主義社会は、エンゲルスのいうような私的所有の支配する社会としてではなく、未開社会と共通する人的依存の共同体的社会関係として考えられていたというべきである。『経済学批判要綱』の「資本主義的生産に先行する諸形態」や『古代社会ノート』における種族論・共同体論は、唯一の私的所有社会である資本主義を分析するための前提として、どこまでも資本主義的市場社会との差異的なコントラストを明らかにするために研究されたにすぎない。

このことは、『資本論』のウルテクストにある社会の構成単位としての家族共同体論にかんして、それが人類学的な表記としては間違いであるにしても、社会思想史的には再評価されうる可能性を含んでいるといわねばならない。

マルクスにとって、人類史の出発点は「拡大せる家族」、正確にいえば〝氏族間の通婚による種族共同体（Gemeinde）そのものであり、「個別家族（Einzelfamilie）」は、これが商品経済的に分解され分節した結果成立するいわば〝最後の共同体〟であるということになる。この意味において、『資本論』一巻七篇二四章で展開された資本の原始的蓄積におけるエンクロージャ・ムーヴメントこそが、はじめて語の厳密な意味での家族をつくりだす。パラドクシカルなことに、婚姻が「個別家族」をかたちづくる自立した紐帯として立ちあらわれるのは、商品経済的な私的所有が労働力の商品化によって人間関係を全面的に覆い尽くす資本主義的社会、すなわちマルクスのいう「人間の物象的依存性にもとづく人的独立性[37]」の結節としてだけなのである。

ヘーゲル家族論の批判的継承

こうしたマルクスの家族の理解には、G・W・F・ヘーゲルの『法哲学』における家族―市民社会―国家のトリアーデが大きな影響を与えていたことは想像に難くない。

周知のようにヘーゲルは、「市民社会（bürgerlich Gesellschaft）」を、諸個人が私的利益を追求することにより成り立つ「欲求の体系」として描きだした。そこでは、各人そのものが自分にとっての目的であり、その他すべてのものは彼にとって無である。それはまさにエゴイズムの体系としてある。ところがこの市民社会は、まさにその論理的前提として「家族（Familie）」を必要とする。それは、精神の直接的実在性と合一性にもとづく法的で人倫的な愛（rechtlichsittlich Liebe）によって構成された財産の共同所有体だというのである。[38]

このコンテキストは、近代自然法思想による個々人の契約家族論やエンゲルスの男女の婚姻結合にもとづく家族形成論とは、決定的に異質である。じっさいヘーゲルは、「婚姻はその本質的基礎において契約関係ではない」と断言する。ヘーゲルによれば、契約とは、当事者の恣意から出発し、仮に当事者の意思が一致してもそれはたんに共同（gemeinsam）の意思にすぎず、決して普遍的（allgemein）な意思ではありえない。また、契約の対象は外的な事物であり、そのような事物だけがそれを譲渡するという当事者の恣意に服することになるのである。それゆえ、普遍的な人格を対象とする婚姻が契約の概念に包含されることがないのは当然であり、カントのような民事契約を模した婚姻にたいする理解は恥知らずで反倫理的なもの[39]として激しく非難され斥けられることになる。

ヘーゲルの弁証法において「家族」は、たんに「市民社会」へと解体され止揚されるものであるのみならず、当の「市民社会」そのものを再び止揚する共同体として、「国家」の現実的な基礎に位置づけられていたといわねばならない。すなわち家族は、婚姻という個別的で自立的な人格から出発しつつ、最終的にそれを止揚するものである。それは人格の合一によって一個の新しい人格を形成するのであり、こうした人格の合一は、愛と信頼および全人格的実存のうちに存する共同体的な一体性の意識であり、これこそがまさに人倫的精神の発現である、とされることになる。

マルクスは、ヘーゲル国家論への批判を市民社会の解剖学としての経済学に求めていったが、この関係は、ヘーゲルの家族論にたいする批判的継承のスタンスにも当てはまるとみるべきであろう。

たとえばマルクスは一八四二年のライン新聞に『離婚法案』と題した論文を掲載している。そこでは、プロイセン離婚法案の反対者たちを反批判して次のように述べる。

「反対者たちは個人の意思、もっと正確には婚姻当事者の気ままな意思だけを考慮し、婚姻そのものがもつ意思、その人間関係の人倫的基礎を考慮していない。」

「法案の反対者は、二人の個人のことしか念頭になく、離婚が家族の解体であり……子どもとその財産を気ままな願望や気まぐれに委ねることはできないことを忘れている。」

「婚姻が当事者の恣意に服従してはならず、かえって当事者の恣意が婚姻に服従しなければならない。婚姻を気ままに破棄するものは、恣意つまり無法が婚姻の法律である主張するものである。(40)」

もちろん初期のマルクスは、ヘーゲルの〝人倫的共同体〟論をそのまま無批判に継承しており、エンゲルスとは逆に、いまだ「家族」を普遍的な実体とみなす限界が残っているのは避けられない。しかし同時に、カント的な契約家族論に対する批判のスタンスは、終生変わらなかったことも明らかであろう。

マルクスは経済学の研究の進展とともに、しだいに家族を「実体」的に前提にする傾向を払拭し、やがて国家と同様に家族をも商品経済的連関の結節として、資本主義というシステムのなかにその位置づけを求めるようになる。したがって家族は、個人による契約の結果でもなければ、逆に、有機体的な実体として前提とされるべきものでもない。マルクスは、家族論におけるアトミズムとホーリズムをともに斥け、市民社会の解剖学としての経済学の展開のなかにあらためて「家族」のレゾンデートルを求めていく。すなわち、特殊資本主義市場メカニズムそれ自体のロジックをつうじて、その内部に「家族」という単位が構成される根拠を明らかにしようと試みるのである。

こうして家族の必然性は、エンゲルスのような歴史的〝起源〟論としてではなく、『資本論』による資本主義的商品経済の構造分析によって初めて明らかにされることになる。

2 『資本論』における家族の成立根拠

商品経済はその結節として、がんらいある種の共同体の存在を予定している。モノであれ女性であれ、商品は、氏族ないしその拡大としての種族共同体の間における交換関係のシンボルでしかありえないからである。

だが資本主義は、こうした氏族や種族共同体そのものを完全に解体し、人間の労働力をも商品として市場に登場させる。マルクスが『資本論』のモデルとする資本主義は、商品によって商品を生産する徹底的に物象化された社会システムである。そこでは労働力の価格が生産コストとみなされ、それを消費する生産過程をも資本流通の一部分として編成することで、資本の運動が純粋に価値増殖のメタモルフォーゼとなって現われる。

このため、いっさいの社会関係は自己の貨幣を譲渡して他人の商品を買う商品経済的関係としてのみ実現される。人間はこの関係の人格化として、例外なく自由・平等のアトム的個人としての私的所有者となる。そこでは、所有権は人と物の関係としてあらかじめ自存し、契約はその相互承認関係であるかのごとく観念される。それゆえマルクスは、資本主義を「自由・平等・所有・ベンサム」と表現した。少なくともそこに「家族」という構成単位の存在する必然性はない。

だがしかし、資本主義は、やはりアトム的な個人の関係だけでは成り立たない。社会を、自由な自立的個人から構成されるものとするリベラリズムの主張の限界は、まさにこの点にあらわれよう。なぜなら、資本主義は資本の自己増殖に対応する労働力の生産をけっして独力では果たせないからである。もし労働力が他の商品と同様に、資本によって生産され供給を拡大できたなら、資本主義は、個人の契約によって成立する自由で平等な関係によって社会システムを一元化しえたであろう。しかし資本は直接には「人間」を生産できない。それゆえ、エンゲルスのいう「種の繁殖」に外的に依存せざるをえないのである。

しかしながらこのことは、マルクスが、「種の繁殖」すなわち「生殖による人間の生産」を、エンゲルスのように歴史の究極的規定要因として認めたことを意味しない。マルクスは、これを、「歴史的に干渉しない動植物にとっても存在する抽象的な人口法則」と呼び、社会的な意味での「家族」の規定ではないという。まったく反対に、資本主義システムは、「人口の自然的繁殖の制約にかかわりなしに」人間労働力を確保するメカニズムを間接的につくりだすことで初めて存立しうる。したがって資本主義は、市場が必要とする一定の過剰労働力のプールを、自らのシステムをつうじて絶えず創出しなければならない。この相対的過剰人口が形成され維持され蓄積されるメカニズムが、マルクスによって初めて明らかにされた「資本主義に特有の人口法則」[41]と呼ばれるものであり、これこそが、資本主義市場社会の真っ只中に「個別家族」が形成される必然性そのものなのである。

もっともマルクスは、このような資本主義のシステム自体が家族を要請するという観点によって、『資本論』体系を完全に一貫させているわけではない。そこにはなお、資本主義の前提として「古い家族制度」を想定し、これが資本主義的な機械制大工業の発展による相対的剰余価値の生産の増大とともに新しい家族形態に移行していくとする、家族の歴史的発展史観も残っている。それは、エンゲルスの『起源』における「プロレタリア家族」論とも共通する、〝資本の文明化作用〟の称賛にもとづく家族の自動崩壊論であるとみることもできよう。

しかしながらマルクスのこうした家族に対する通俗的理解は、資本の蓄積過程における景気循環理論の確立とともに、しだいに消極化していったと見るべきであろう。

じっさい『資本論』の一巻七篇二三章における蓄積過程の叙述には、いまだ不十分ではあるが、〝家族〟を資本主義の前提としてではなく、資本主義そのものがつくりだす過剰人口のプールとして展開する方向性がみられる。マルクスはまず、資本主義的蓄積を、資本構成の高度化にともなう産業予備軍の累進的生産の過程であるとみなして、「絶えず相対的な、すなわち資本の平均的増殖欲求にとって余計で過剰な、または追加的労働者人口を生み出す」[42]ものであると理解する。しかしその後、この相対的に過剰な労働力こそが資本主義的蓄積にとってもっとも重要なテコであり、資本主義の存立の条件であると述べて、相対的過剰人口の形成とともにその吸収、再形成のプロセスを展開することになる。

すなわち資本主義は、その好況期には、一般に固定資本を変えず一定の有機的構成を維持したまま蓄積の拡大が行なわれる。このことは労働力需要の増加を意味し、労賃を上昇させ利潤率を低下させることになる。エンゲルス流にいうならば、好況期においては、労働による「物質的生産」は生殖による「人間の生産」と両立しえない。この「種の繁殖」のみに依存した労働力の供給は、やがて労働力の枯渇による賃金の暴騰という限界に達して、恐慌をひきおこし、既存の固定資本の全面的な廃棄をもたらす。つづく不況期には、固定資本の改変による資本構成の高度化にもとづいて、労働力が排出され、過剰人口のプールをつくりだすことになる。こうして不況期には、「種の繁殖」の枠内で「物質的生産」と「人間の生産」の両立が可能となる。この相対的過剰人口の圧力のもとに、労賃は下落し利潤率は上昇して、ふたたび資本は労働力を吸収する好況期へと向かうことになる。

それゆえ資本主義の景気循環システムは、一方で、労働者をたえず市場メカニズムに投じてアトム的な私的所有者にするが、もう一方で、相対的に過剰な労働力の排出をくりかえして一定の被扶助・要保護人口の維持をはたさなければならない。マルクスは、こうした資本主義市場システムのうちに、唯一かつ最終的な人間の共同体的依存関係が編成されざるをえないことを認めて、その存立根拠を「家族」というタームで呼ぶのである。

以下、その家族論の内容を具体的にみていこう。

3　市場の結節としての家族

労働賃金形態

労働力の価値は、労働者が労働の後に獲得した賃金で資本家から必要な生活資料を買い戻すことで、はじめて確定される。このため諸個人の意識において、それは、時間賃金や出来高賃金というかたちで労働に対する報酬として観念され、一人の労働にもとづくものとしてしかあらわれない。

しかしマルクスは『資本論第一巻』の一篇四章三節において、こうした通俗的イデオロギーを批判する。彼は、労働力の価値は「労働者の生活の維持のために必要な生活手段の総額」であるとし、これを、その生活手段の生産に要する労働時間に求める。しかし、「労働力の所有者は消耗と自然死を免れえないため、生殖によって永久化されねばならず、少なくとも同じ数の労働力によって絶えず補充されなければならない」。それゆえ労働力の再生産に必要な生活手段の総額は、「補充人員である妻子の生活手段および子どもを新たな労働力として養成し教育を受けさせるための修業費」を含まなければならないという。このためマルクスは、家族のメンバーが個々に賃労働者化すると、労働者の賃金は価値分割をひき起こし一般的に低下するとさえいうのである。

要するに、労働力の価値は、景気循環による好況期の賃金上昇と不況期の下落という価格変動をつうじて、最終的に「労働者の生活を維持するために、また市場で減少しない労働供給を保障するだけの家族を彼が養う[43]」水準におちつくことになる。この点をマルクスは結論的に次のように言う、

「労働力の価値は、個々の成年労働者の生活維持に必要な労働時間によって規定されているだけでなく、労働者の家族の生活維持に必要な労働時間によっても規定されている。機械は、労働者家族の全員を労働市場に投ずることによって、成年男子の労働力の価値を彼の全家族のあいだに分割してしまう。[44]」

資本家の所得

資本家にとって剰余価値は利潤という形態をとるが、信用による一般利子率の確定は、ほんらい産業資本の利潤形成にとってマイナス要因である流通費用さえも資本として観念させる。このため商業資本もまた利潤を生むものと錯認され、その利潤のうちの利子を超過する部分は、資本家による企業活動の成果として観念されざるをえない。この観念はまた、産業資本それ自身にも反映される。それゆえ、資本主義的市場社会においては、あらゆる財の所有はそれ自身利子を生むものとされ、これを超える部分は企業者の利得であるというイデオロギーが一般化することになるのである。こうして、資本家の所得は、労働者における労働に対する賃金と同様に、彼の企業者活動の成果に対する正当な報酬として観念されることになる。

もちろん法的には、あらゆる所得は、各人の労働や活動いわゆる「勤労」に対する報酬とみなされて個人に帰属するものとなる。しかしながら、資本家の企業活動もまた、労働者の労働と同じく、男女の性的結合である婚姻と生理的未熟者である子どもの保護・養育をつうじて継続されるしかない以上、その所得は、やはりブルジョア家族の生活に相応しい費用を含むものとして現われざるをえない。

すなわち景気循環の反復のうちに、好況期における利潤率の上昇と利子率の下落、および不況期におけるその反転のプロセスを繰り返すことをつうじて、資本家の所得もまた、将来の資本家を養育する「標準的な家族」を維持するものとして所有されるのである。

相続または遺贈

資本のメタモルフォーゼが無限的な循環を実現するためには、一回の回転で価値を回収できる原材料や労働力などの流動資本とともに、工場や機械設備など価値の回収に長期性を有する固定資本の存在を不可欠の要素として含まなければならない。こうした固定資本の価格を減価償却によって全額回収するためには、幾世代にもわたって継続する資本の回転が必要となる。同様に、資本の循環は、平均利潤を超える超過利潤としての地代を生み出す。地主が、この地代収入によって土地購買価格を全て回収するためには、子々孫々にわたる長期の土地所有の継続が必要となるであろう。そのためには当然にも、資本家にとっては固定資本を、地主にとっては土地所有を、それぞれ継承する相続や遺贈の制度が社会的に不可欠となるのである。

すなわち相続ないし遺贈は、エンゲルスのいうような、たんに「父の私有財産を実子に相続させる欲求」にもとづく私的行為ではありえない。むしろ資本主義システムは、固定資本や土地の相続をつうじて、はじめて資本の循環を介した商品と貨幣の永続的な自己増殖運動を確保することが可能になる。

相続はまた、労働者にとっても重要な制度をなすものである。労働者が、資本の循環から離脱した財であっても日常的に使用される家具や道具、娯楽品などの所有を継続することは、彼の労働力の再生産を維持するために不可欠な条件である。それゆえこれらの耐久消費財は、労働者個人のみならず家族員すべての永続的な利用に提供されなければならない。労働者が死亡した場合には相続制度そのものが、死者からその妻子など残された家族員に対する私的扶養ないし私的生活保障という機能をはたすことになるのである。(45)

こうして相続制度は、資本主義が社会的再生産をとおしてその自己増殖を実現し継続するために、必須の構成部分をなすものといえよう。

相対的過剰人口の維持

しかしながら資本主義は、このような労働力の再生産システムを、夫婦・親子としての「家族」のみで処理することができず、さらにそのほかに、一定の過剰労働力をかかえなければならない。ここに家族のもっとも重要な意義として、相対的過剰人口を維持するシステムが加わる。

マルクスは一巻七篇二三章四節において、これらの人口を流動的、潜在的、停滞的な過剰人口としてそれぞれ説明している。だが問題は、このいずれの人口も、「非資本主義的生産方法」ないし「国家の救恤組織」によってではなく、あくまでも理論的には、市場メカニズムをつうじて間接的に生存を保たれねばならないという点である。このことは、相対的過剰人口もまた家族関係のうちに包含され、「現役労働者の賃金によって生存するもの」であることを意味していよう。しかしこうした過剰人口の扶養費は、一般的な労働力の価値には含まれない。それゆえマルクスはいう、

「家族の絶対的な大きさは、労賃の高さに、いろいろな労働者の部類が処分できる生活手段の量に反比例する。(46)」

たしかに、好況期には、雇用労働者の数は増し、家族的扶養を減少させて家族への依存度とその絶対的な大きさを小さいものにする。これに対して不況期の失業者の増大は、家族的扶養への依存を増加させ、家族の絶対的規模を大きなものにするといえよう。マルクスはさらに、過剰人口の底辺に障害者・疾病者・受救貧民などの存在をあげ、こうした人口の扶養費も資本主義的生産にとっての「空費（faux frais）」として労働賃金のなかから負担されるものとしている。この点を宇野弘蔵は、景気循環に即してより具体的に説明している、

「好況期に向上した生活水準を不況期には切り下げつつ」「好況期に動員された労働者家族員のなかから不況期の失業者を出し、就業者の賃金によって失業者も生活する。(47)」

こうして資本主義システムは、市場の契約関係によって社会を一元的に編成することができず、その真っ只中に、相互扶助や私的保護・贈与という共同体的な互酬（réciprocité）を組み込まざるをえない。

エンゲルスのいう婚姻結合体は、たんなる「生殖による人間の生産」としてではなく、むしろ、よ

り総体的な〝人間の社会的再生産〟システムの一部分として立ちあらわれる。種族共同体のもとで、二つの氏族に引き裂かれた関係としてしかありえなかった「個別家族」が、資本主義による共同体の完全なる分節と解体の結果、はじめて市場連関システムの唯一の結節としてあらわれ、これが逆に社会の共同体的単位となるのである。

ここに家族という〝最小の共同体〟のもつみごとなパラドックスがあろう。

4　個別家族の歴史的諸相

このようにマルクスのテキストを理解すれば、資本主義は、市場メカニズムを成り立たせるサブシステムとして、その背後にたえず〝家族共同体〟を予定せざるをえない。すなわち「個別家族」は、資本の再生産によって生じる過剰人口を、現役労働者が賃金による私的扶養をつうじてその内部に取り込んで救済していく人的依存関係の存在を前提としている。

したがって歴史的な場面にあらわれる家族は、つねにその時代の支配的な資本形式の変容に対応した「労働力の商品化の無理」、いいかえれば過剰労働力の具体的な発現形態に大きく規定されるといえよう。ややシェーマ化していえば、資本の蓄積タイプの構造的変容が、第一に、直接的な労働力の再生産の場である夫婦・親子の財産関係や扶養関係に、第二に、過剰労働力を維持し扶助する広義の親族の私的保護関係に、もっとも典型的にあらわれることになるのである。

つぎに、こうしたマルクスの観点をポジティヴに生かしつつ、歴史具体的な私的扶助集団としての

「家族」のタイプを考察してみることにしたい。

商人資本と家族

近代家族の出発点は、一六世紀末から一八世紀初頭にいたる絶対王制期から近代統一国家の形成期に求めることができるであろう。

商人資本は、多様な共同体と共同体のすき間において、労働力の再生産過程を媒介とせずに財産を集積・統合する。このため、旧来の共同体的社会関係をいまだ解体することはなく、その家族財産関係は非個人主義的に構成されざるをえない。そこでは一般に妻の持参財産や後得財産はすべて夫の所有物とみなされた。そのうえ家族の扶養は、家父長である夫の私事として自由意思にまかされた。じっさい当時のイギリスのコモン・ローでは夫婦一体主義（converture）が採られ、夫婦間の扶養が独立した義務として問題になる余地はなかった。したがって扶養の範囲は直系血族のあいだに限られ、夫婦の扶養は民事手続によって訴求できない不完全義務にすぎないものとみなされていたのである。[48]

他方、このころイギリスでは、エンクロージャ・ムーヴメントにより共同体が暴力的に解体され、大量の無産者が形成される。そのため、大家族的世帯から直接生産者を徹底的に分離し、小家族化をおしすすめる救貧法が制定されている。この法律では、扶養義務を負う者は父母・祖父・母・子であり、扶養されるべき者は貧困または障害によって労働不能の子・孫・父母とされる。これは、共同体的な所有と扶養の慣行を廃止し、家族を労働力の販売単位としてつくりなおすものであったといえるだろう。

そして、一七二二年には貧民収容所の一括請負経営がはじまり、八二年には「労働の能力と意思のある者の国家救済法」が制定され、さらに九六年には賃金補助制度によって、いっさいの貧民家族に賃金保障が与えられることになる。こうして貧民もまた、労働力を商品化するように仕向けられるのである。

産業資本と家族

一八世紀末から一九世紀中葉に入ると、商品経済は生産過程を包み込んで産業資本を編成するにいたる。綿工業を中心に市場メカニズムが自己調整的に作動し、男子成人労働者の賃金は家族の再生産費のレヴェルに収斂していく。

このため、いわゆる「主婦婚（marriage of housewife）」が標準化して、夫の妻子にたいする扶養は私法上の義務とされる。それは同時に、家父長の権威を相対的に弱めることにもつながった。じっさいイギリスでは、一八三五年に未成年者の監護後見が父親の法的義務とされるようになり、また五七年に離婚法が制定されるとともに、遺棄された妻の財産保障が認められるようになるのである。

さらにこのころ、市場の景気循環メカニズムによって、相対的過剰人口の増減が一定の周期性を帯びてくる。このため一七九六年には救貧法が改廃され、失業の自由放任によって、扶養は家族の私法的な個人責任義務にゆだねられることとなる。

もっとも、一八二四年の浮浪者法の制定以前は、家族扶養を怠った者に対する処罰が法的に規定されており、国家が扶養義務の履行を直接的に強制していた。これに対して一八三四年の新救貧法や四二年の浮浪処罰法は、貧民の戸外救済を廃止し国家保障を最小限にとどめることで、この履行を間接的に促すものとなった。さらに一八六八年の救貧法の改正によって、夫の妻に対する扶養義務が明記されるとともに、従来の処罰規定が廃止されて扶養義務の不履行に対しては民事債務として強制執行されることが新しく規定されたのである。ここに私的扶養システムとしての「家族」が完成をみたといってよいだろう。

また、このころ機械制工業の発達によって単純労働化がすすみ、女性や子どもの労働力が景気循環の調整のために部分的に商品化されるようになる。イギリスの一八七〇年法から八二年法によって既婚女性の特有財産権が承認されたのは、まさにこの所産であるといってよいだろう。こうした妻子の地位の上昇を反映して、一八七〇年法においては、夫婦一体の法理を廃止して妻の財産的・人格的な独立を認めるとともに、その利益の代償として、はじめて特有財産のある妻にも夫と子どもを扶養する義務を課すようになる。こうして一八八四年には、家族の相互扶助義務が法制化され、夫と同様に妻の扶養義務不履行に対しても民事債務としての強制執行が規定されることになったのである[49]。

金融資本と家族

これ以降一九世紀中のイギリスでは、家族の形態にそれほど大きな変化は見られない。

だがこれに対して、一九世紀末から二〇世紀初頭における後進国ドイツを中心とした金融資本の発展は、家族の構造を歴史的に逆転させるものであったといってよいかもしれない。ドイツにおける鉄鋼業など重工業をになう株式会社の発展は、固定資本を巨大なものにして資本の有機的構成を高度化し、市場による労働力の吸収性を鈍らせる。それゆえ景気循環過程を変容させて、慢性的に過剰労働力を滞留させることになったのである。このことが、ドイツでは、ユンカーや農民・自営商工業者など旧来の中間階級における大家族的紐帯を、かえって法イデオロギー的に強化することが要請されることになる。

これが、数個の夫の権威を拡大家族的な紐帯によって強力に統合するいわゆる「家父長制家族」である。したがって家父長制とは、一部のフェミニズムがいうようなたんなる前近代の遺制でもなければ、資本制と独立した性支配のファクターと見なすべきではないだろう。それはまさに、後発資本主義の高度な金融資本的発展がもたらした、きわめて〝近代的〟な家族形態のひとつでありうる。

じっさい一九〇〇年に施行されたドイツ民法典BGBは、夫を家族の第一次扶養者（一三六〇条）とするばかりか、婚姻を原則的に主婦婚とする規定（一三五六条）を設けていた。そして、妻の家事法律行為を夫の責任（一三五七条）とし、夫による家族財産の管理共通制（一三六三〜一四三一条）や親権の夫への専属（一六二七条）、さらには親族扶養の範囲をすべての直系血族に拡大する規定（一六〇一条）を定めていたのである。[50] ここに、もっとも典型的な「家父長制家族」の制度的類型がみられたといえよう。

けれどもこの時期には、こうした家族による私的扶助の拡大が限界に達して、一八七〇年の救助籍法や一九〇八年のその改正法、一八八〇年のビスマルク社会保険制度といった社会政策の端緒が形成されることにもなる。それはふたたび、国家による家族への積極的介入が始まる時代でもあったのである。

5　現代資本主義における家族

さて、以上の近代家族の各パターンにたいして、二〇世紀初頭以降の「家族」は、もはや相互扶助と私的保護をメルクマールにして分類できない性格をもっている。

一九一四年の第一次大戦と二九年の世界恐慌による厖大な構造的失業者・寡婦・孤児の激増と、それをささえる農民や小工業者の家父長制家族の没落、くわえて一九一七年のソ連邦の成立以降における社会主義イデオロギーの一定の普及という状況において、国家は扶養を、これまでのように家族の自主的な編成にゆだねておくことができなくなる。ここに、金融資本の蓄積を一定程度抑制して、「国民生活の最低限の保持」を直接に国家の責任とする生存権の保障政策が要請されるのである。

すなわち現代国家は、まず金本位制を廃止し、管理通貨制によるインフレ政策を基調として体制を組織化する。それはたんに恐慌を回避するのみならず、政策的に労働力の需要をつくりだし、完全雇用体制の実現によって過剰人口の消失をはたしていくものであった。さらにフィスカル・ポリシーによって家族内の個人に所得を再配分し、生活保障の拡充をつうじて「家族の社会化」をはかる。いいかえれば国家が、家族という中間団体の私的扶助機能を代替し、個人をアトム的人間として直接に掌握し管理することで体制内への統合を企てるものであったといえよう。(51)

ふたたびイギリスを例にとれば、一九四一年に労働党がチャーチル内閣に参加して以降、四二年にはウィリアム・ビヴァリッジによる大社会保障推進計画が始まり、国営保険を手段とした再分配政策によって国民の生存権と労働権の保障がはかられることになる。さらに一九四六年には、失業者・老齢者・疾病者・孤児・寡婦の生活保障法が制定され、四八年には国家扶助法によって、個人は無拠出のままでも国家に公的扶助責任が課せられることになる。この年、家族の私的扶養義務が、夫婦相互と一六才未満の子どもにたいするものに限定されることになったのは、こうした現代資本主義に特徴的な国家の変貌の結果であると考えてよいであろう。

すなわち二〇世紀に入って家族法の履行範囲は、夫婦と親子の間における共同生活と生活保持の義務に限定され、それ以外の親族は、家族の扶養義務の範囲から完全に除外されることとなったのである。いわゆる「核家族」の制度的な確立である。

じっさいこうした核家族化政策は、たんにイギリスに限られたことではない。同様の家族政策が、すでにファシズム期ドイツの一九三七年のナチス戸籍法にみられ、またわが国においても、戦前の一九二五年の民法改正要綱や四一年の民法小改正から戦後改革をへて現代まで一貫して続けられていることにも明らかである。社会の構成単位としての「核家族」は、けっしてマードックがいうようなあらゆる社会に共通する普遍的〝実体〟ではありえない。それはすぐれて、現代資本主義における国家による資本主義の組織化政策の帰結であるといわねばならない。

それゆえ現代における家族の変容は、国家それ自体が資本主義市場に全面的に介入することにもとづいて、有効需要としての人間の欲望を人為的につくりだすシステムの産物であったと考えることができるであろう。

現代の市場システムは、夫のみならず妻をも労働市場にひきずりだし、その見返りとして家電・自動車など厖大な耐久消費財の私的所有を保障し、いわば〝最後の共同体〟としての家族をも解体させることになる。管理通貨制によって景気循環のサイクルが不明瞭なものとなって、アトムとしての個人がたえず労働力を商品化し、それゆえ個々人が直接的な私的所有の主体としてあらわれる。市場のシステム連関の結節としての「人間」は、完膚なきまでに〝実体〟視され、夫と妻、親と子といった「個別家族」の紐帯はバラバラに切断される。いわゆる〝砂のような個人〟が誕生するのである。

こうして政策的に実現された家族の解体状況のもとで、当然にも、夫の妻子にたいする第一次扶養義務とともに家父長の身分権が廃止される。そしてイギリスの一九四八年法以降は、各国において、妻についても特有財産の有無にかかわらず扶養義務の責任主体とされ、扶養の当事者要件が廃止される傾向にある。また男女の財産能力は平等化され、雇用の機会が均等化されるばかりか、女性労働の保護規定までもが廃止される方向にむかうことになる。さらに、相続における子どもの均分相続や私生児・養子の同権化、配偶者の相続権の強化、離婚における原因の拡大と財産分与請求権の確立といった法制化が、各国で矢継ぎ早に進められるのである。

いまや、国家と個人のあいだに位置していた「家族」は制度的には全面的に否定されることになったといえよう。

現代資本主義におけるマス・デモクラシーの進展は、不可避的に過剰商品化による家族の過剰分解をともなわざるをえない。近年では、雇用と所有の平等化にとどまらず、各国において事実婚の追認と夫婦別姓の法制化がすすめられている。また、一人世帯の増加や非婚・離婚・晩婚・シングルマザー、少子化、そしてＬＧＢＴの社会的公然化とともに、ジェンダーフリーと呼ばれる性別役割分業の廃止や性差のボーダレス化の主張が盛んになり、ついには、「家事労働に賃金を」といった運動[52]まで登場することになる。それはまさに、家族関係におけるリベラリズムのひとつの完成形態といえるかもしれない。

現代において、マルクスが『資本論』において想定した意味での〝家族〟は、すでに市場のなかに溶解して消滅したといえるであろう。はたしてエンゲルスならば、これを「自立した個人による性愛」の実現と呼ぶのであろうか。

おわりに　二一世紀「家族」のゆくえ

第I部では、まず、エンゲルス家族論の批判的検討を行ない、次いで、これに対置するかたちでマルクスの家族論を、その限界をも含めて掘りおこしてきた。

すなわち、エンゲルスの家族論は、歴史の究極的規定要因としての「生殖による人間の生産」なるものをそのまま「家族」とみなし、もっぱら婚姻による男女の性的結合の発展だけをたどるものであった。それは、たんにモルガンの集団婚に始まる進化主義的家族論を継承しただけではない。一夫一婦婚の「個別家族」を、文明期（階級社会）全般に当てはまるものとみなし、私的所有制度を、夫が妻子を支配する装置としてのみ描きだすことになったのである。

そこには、マルクスのように資本主義市場システムにおける〝物象的依存関係〟とのコントラストにおいて、家族を〝人的依存関係〟として把握する視点はまったくない。いいかえれば、「個別家族」を、市場における過剰労働力を維持する共同体的サブシステムとして分析する方法が完全に欠けていたのである。それどころか反対に、エンゲルスは、「プロレタリアの家族」を、私的所有の欠如によって夫の支配の基盤が喪失するものとして評価し、そこに対等な両性の自立にもとづく〝個人的性愛〟の可能性をみいだすことにもなった。

エンゲルスは、どこまでも社会主義イデオロギーの熱烈な唱導者であり、そしてあくまでもブルジョア法理念の忠実な信奉者であった。彼はオプティミスティックにも、社会主義による私的所有制度の廃止によって、自立した個人の契約というブルジョア法の理念すなわちリベラリズムが、家族の内部でも真に現実のものとなると考えていたのである。

このエンゲルスの展望が、その後の冷厳な歴史の推移によってどのように帰趨したか、もはや多くを語る必要はないであろう。

社会主義の必然性なるものは、旧ソ連圏の瓦解と現代資本主義の〝勝利〟によって無残にも打ち砕かれた。すでに家族の未来を「社会主義」に託すことはできない。だがアイロニカルにも、自立した両性の契約婚というエンゲルスのパースペクティヴそのものは、当の現代資本主義それ自体によって着実に〝現実〟化していった。女性の労働市場への進出、離婚の自由化、子供の養育と教育の公共化、家事の産業化による男女の同権・平等というエンゲルスの描いた家族の未来像は、「私的所有の廃止」によってではなく、逆に、商品経済のあらゆる領域への浸透により万人を小資産者と化す「私的所有イデオロギーの全面化」によって達成されようとしているのである。

いまや現代国家は「ジェンダー平等」の名のもとに、男性と同様に女性労働力の商品化を政策的に促進し、マルクスのいう「労働力の価値分割」をひきおこす。それゆえ賃金は家族の再生産費ではなく、個人の再生産費にまで下落する。また、離婚の慰謝料は生涯賃金として貨幣換算され、子供の養育と教育はゼロ歳児からの受験教育によって塾と予備校に委ねられる。さらに、家事はファーストフードや外食産業、クリーニング業やコインランドリーによって代行され、家族のコミュニケーション機能は携帯電話や電子メールにとって代わられる。はては性関係までもが性風俗産業という一大市場に脅かされることになる。

結論を述べよう。

エンゲルスの展望した「性愛によってのみ結びつく対等な個人」なるものは、けっきょくのところ、〝最後の共同体〟としての家族を崩壊させる以外に現実となるすべはなかった。それは、彼の主観的な意図とは異なるにしても、現代資本主義的商品経済による人間紐帯の徹底的な解体のみごとな予言ではあった。この意味でエンゲルスのリベラルな家族論は、現代においてその使命を果たし終えたといえよう。

では、これに対しマルクスはどうであったか。

なるほどマルクスも、家族が社会の経済的単位ではなくなる可能性を示唆していたのかもしれない。ただしそれは、エンゲルスのように家族を自立した個人の契約関係に解体することによってではなかった。たとえばマルクスは晩期のノートで、一夫一婦婚家族があくまでも近代的社会関係の一定の所産であることを指摘し、不可逆的な歴史的時間の推移にともなって「その後に来るものの性格について予測することはできない」としている。しかしながら、社会が激しい敵対と衝突、惨禍の場と化している現実を踏まえ、「この危機は、資本主義制度の消滅によって、近代社会が共同体の原古的(archaïque)

な型へと復帰することによってのみ解決できるであろう」と述べて、わざわざ「この原古的という言葉をあまり恐ろしがる必要はない」という注記を付しているのである。[53]

マルクスは、原古的共同体への安易なノスタルジーを自戒しつつも、エンゲルス流のリベラリズムとは逆に、近代資本主義システムの超克を根源的な共同性（Gemeinwesen）の回復に求め、家族を、そうした社会関係のなかにふたたび埋め込む方向性を希求していたように思われる。マルクスの家族論は、少なくとも、アトム的個人にまで解体を遂げようとしている現代資本主義に対するラディカルなアンチテーゼとして今世紀に生き続けるであろう。

補論　夫婦別姓について

1　現在の論争点

わが国の民法七五〇条は「夫婦は、婚姻の際に定めるところに従い、夫又は妻の氏を称する」として、いわゆる夫婦同姓の原則を規定している。これによって現在の日本では、男女が結婚しようとする場合、夫婦のいずれか片方の姓（法律的には氏）に統一して名乗ることが制度化されている。すなわち婚姻する男女は必ずどちらか一方が婚前の姓を変更することが必要とされることになるわけである。しかしながら、民法上はこのように「夫または妻の氏を称する」と定められているにもかかわらず、現実には、妻の方が改姓し夫の姓を名乗る割合が九七パーセントにものぼるといわれる。

このため近年、社会的に活躍する女性にとって、結婚による「改姓」は職業上の不利益と不便をもたらし事実上の女性差別であるという批判が提起されるようになってきた。いわゆる夫婦別姓論の台頭である。もちろん夫婦別姓論者といってもその主張は多様であるが、そのなかでは概ね次のようなものが代表的な見解であると思われる。

第一に、改姓は、仕事や私生活において築き上げたキャリアや人間関係および評価を中断させ混乱させる。それを調整する手続きは煩わしく困難であり、周囲にも迷惑をおよぼすために姓を変更したくないというものである。

第二に、個々人は自己の姓にアイデンティティをもっており、改姓は自己喪失感や屈辱感を生じて自我の崩壊を招く。しかも女性の側だけがそうした苦労を味わう現在の制度は不公正なものであり、実質的に女性を夫の「家」に吸収させ同化させる前近代的ないし封建的な差別制度の残存であるというものである。

そして第三に、現代の離婚率の大幅な上昇によって女性はひんぱんに改姓を繰り返さなければならない不都合が生じ、それは女性のプライバシーを著しく侵害するというものである。

さらに第四に、現代の少子化による一人娘の増大は家名存続の危機をもたらしている。婚姻による改姓は名字の途絶を生み、墓石を継承する者がいなくなるというものである。

こうした主張をうけて一九八〇年代の後半以降、夫婦別姓が社会運動としても活発になり、とりわけ一九九六年の法務省法制審議会の答申以後は、当事者の意思によって別姓の選択の道を認める選択的夫婦別姓制度の導入運動が大きく高揚し、現在では、そうした方向で民法の規定を見直す改正の準備が着々と進められつつある。おそらくわが国でも早晩、夫婦同姓を原則としつつも当事者に別姓の選択肢を認め、[54]その場合は、自分の姓と相手の姓から個人的に姓（氏）を選べる法制度が採用される可能性が大きいといえよう。

ここではこうした選択的夫婦別姓法案の当否はひとまず保留しておこう。問題としたいのは、これまでの別姓論がプラグマティックな便宜性や煩雑の回避の問題としてのみ議論され、そもそもわが国でこんにち慣習的な「姓」ないし民法上の「氏」とはいかなるものかについて根本的な議論がほとんどなされていないと思われる点である。

私見では、わが国では「姓」について大きく三つの理解が存在するように思われる。

2　姓とは何か

個人の人格権説

第一は、リベラル派法律学者の通説であり、今日フェミニストの多くがもっとも支持する見解である。

すなわちそれは、氏名を個人の呼称であり個人の人格の象徴とみなし、姓を人間が個人として尊重される人格権の一部を構成するものとして理解するものであるといえよう。いうまでもなく自然法思想にもとづけば、人間は生まれながらに生命・身体・健康・名誉・肖像・プライバシーなどについて誰からも侵害されない天賦の人権を持っており、それゆえ個人の氏名もこうした一身専属・不可侵の人格権に属するものとして法の保護の対象となる。それゆえ姓は名とともに「氏名権」などと呼ばれ、この権利には氏名を他人に勝手に用いられない権利にとどまらず、正確に呼称される権利および他から干渉されず自由に選択し自由に使用することのできる、いわゆる「氏名の自己決定権」を含むものと解されることになる。

すなわち姓の決定は人格の属性として個々人の自己決定権、別の言い方をすれば自己所有権の中心的概念であるということになろう。

だがこれは夫婦別姓論としては、なお論拠が薄弱であり不十分な議論といわざるをえない。

仮に氏名の自己決定権という主張を貫けば、当然にも各人は自己責任において姓を何時でも自由に変更する権利をもつことになるであろう。姓をこのような純粋に個人の呼称と規定すれば、夫と妻のみならず子供もまったく別の姓でもよいことになり、婚姻にさいして個人が夫または妻の姓にとどまらず自由に新たな姓に変えてよいことになろう。したがって子供もまた、いずれかの親から姓を継承しなければならない必然性は存在しない。

このロジックを一貫しようとすれば、そもそも姓と名を区別して論じる必要性そのものが消滅してしまうことにならざるをえない。親が子の出生時に名とともに姓を自由に決定することができ、その後たとえば婚姻時に本人が変更できるとすれば、姓はいわゆる名の一部ということになり、名と区別して姓の問題を論じる意味がなくなる。それはとりもなおさず姓それ自体の否定論であり、個人の氏名の「名」への一元化というべきものである。

こうした完全な姓の自由化は、さすがに英米および北欧の「先進国」なるものにも先例がみられない。けっきょく氏名の自己決定権論にもとづく別姓論では、個々人が名とは別に姓をもつことの意味そのものがまったく理解できないことになる。

血縁の象徴説

こうした法学的通説に対して、第二に、「姓」を血統の同一性を表示するメルクマールとみなす人類学的見解がある。

こうした学説によれば、姓は共通の祖先をもつ同一の血縁を表示するものであり、未開社会においいては、夫と妻は別々の血縁集団（いわゆる氏族）に属する族外婚が厳守されていたために、夫婦別姓が姓の原則であったとされる。

人類学の知見によれば、とりわけ東アジア地域では原古的な氏族制度が強固に存続しつづけ、氏族外婚制の慣習が現在まで維持されているために、夫婦別姓が広く近代に残ったといわれている。日本においても一八九八年の明治民法の公布以前は、夫婦同姓という慣習は存在せず夫婦は別姓を名乗るのが一般的であった。また中国や韓国・朝鮮では今日においても、姓が同一で父祖の発祥地（本貫）が共通の、いわゆる同姓同本氏族の内部においては、男女が結婚することが慣習的に厳しく禁忌されている。そこにおいて同姓は、個々人が同じ氏族に属することを示す標識であり、血統の同一性は終生変化することはありえないため、結婚によって姓が変わることもまたありえない。

それゆえ夫婦同姓は近親婚を意味するものとして忌み嫌われ、夫婦別姓は、それによって夫と妻が族外婚であることを社会的に認知させる機能を営むことになる。いいかえれば夫婦関係よりも血統の出自を重視する慣習のために、女性は婚家の一族に入ることが許されず出生氏族への帰属が最重視されたといってもよい。夫婦別姓制度は、まさに血縁集団（氏族）制度と不可分の社会慣習であったといえるだろう。

もちろんこうした民族学的ないし人類学的慣習は世界史的に広く存在し、現代においても東アジアのほかにも多くの地域に存続していることは否定できない。「姓」は、バッハオーフェンやモルガンいらい延々と議論されてきた氏族と家族の関係をめぐる論争のひとつの大きな論点ではある。だが今日のわが国の夫婦別姓運動の中において、こうした血縁氏族の重要性を正面から主張する論調は、本音はともかく建て前上はごく少数派にとどまるだろう。むろん、少子化にともなう家名存続や墓石の管理の問題にもとづく別姓の要求も無視することはできないが、少なくとも欧米に出自をもつ現代日本の夫婦別姓運動の方向とは明らかに逆行しており、それを公然とメイン・スローガンに掲げるフェミニズムはありえない。

個別家族の呼称説

さて、これらの両極の夫婦別姓論の批判のうえに、第三の「姓」に対する理解が登場する。すなわち姓は、夫婦とその未成年の子どもによって構成される社会の最小単位としての〝家族〟の呼称であるという見解である。この学説によれば、日本では、明治民法において初めて妻が婚姻によって夫の「家」に入ることが認められ、ようやく夫の家名である姓を名乗ることができるようになった。これによって姓すなわち民法上の「氏」は、血統を表示する呼称から家族という生活共同体の呼称へと大きく転換したとされる。しかもこうした「家」制度そのものが、一九四六年に憲法二四条にもとづいて「個人の尊厳と両性の本質的平等」に反するものとして廃止され、四七年の民法改正によって、ようやく現在のように夫婦は「夫又は妻のいずれかの氏（姓）を称する」ものに改められたのである。

こうした理解に立てば、家族の呼称としての「姓」は、けっして前近代的・封建的なものではなく優れて近代的な制度である。資本主義は血縁氏族という前近代的な〝共同体〟を徹底的に破壊し分節化したのであり、近代家族は、市場メカニズムのなかで労働力という商品の再生産を維持するために形成された新たなそして最小の〝共同体〟であることになろう。

家族は、血縁氏族による紐帯を徹底的に否定し、近代資本主義が二つの「氏族」にまたがって形成した新たな社会的単位であり、姓とは、こうした血縁関係から分離した夫婦という相互に他人どうしの紐帯に名づけられた呼称であることになる。

3　夫婦別姓論を批判する

もちろんこうした近代家族の内部に男女の実質的不平等が存在しているのは紛れもない事実であろう。そして二〇世紀末以降、こうした家族内部の不平等な構造が厳しく告発されるに及んで、国家による男女平等化政策が加速されたのもまた事実だろう。夫婦別姓が、そうした家族の平等化を象徴する一つの制度的表現であるのは言うまでもない。

だがこうした〝平等化〟は、たんにフェミニズム運動の成果というよりもむしろ、福祉制度というパターナリズムによって家族のもつ扶助・保護・互酬の機能が国家に代替され、さらには市場のグローバリゼーションによって家族の絆が希薄化しアトム的に寸断された結果であったのはいっそう確かなことであるように思われる。そこにおいては、個人の自己決定権が際限なく肥大化し、あたかも「名」と同様に「姓」までもが個人の自己所有権（人格権）の一部であるかのようなイデオロギーが形成されることにもなる。

したがって夫婦別姓が家族の絆を解体させる原因とはいえないにしても、現代において家族の絆の弱体化し希薄化した結果が、夫婦別姓を要請していることは否定しえないであろう。夫婦別姓反対論者が強調する「別姓は夫婦の一体感や家族の絆を弱める」という批判は、それ自体は本末転倒した議論であろうが、このような言説が、家族の紐帯と姓のもつ密接な関連を一定程度表現していることは認めてよいように思われる。

そしていっそう根本的な問題は、夫婦別姓の推進によってリベラルな法律家やフェミニズムが理想とするような自立した独立・自由の個人なるものを単位とする「シングル社会」が本当に実現可能なのであろうか、という点である。マルクスがいうように、人間は社会的諸関係のアンサンブルとしてのみ存在しうるとするならば、夫婦の別姓がもたらすものは、夫と妻という他人同士の紐帯よりも、結婚後もそれぞれが生家の親との関係を重視する血縁的紐帯への過剰な依存であり、いつまでも親離れのできないファザコンやマザコンの症候群を蔓延させるだけでしかないように思われる。けっきょく夫婦別姓制度とは、パラサイト・シングルのままの法形式的婚姻の別名になってしまうのではないだろうか。

あえて「姓」の制度的問題にこだわるとするならば、いま本当に必要とされているのは、夫婦別姓の実現[55]などではなく、婚姻時に夫婦単位の新たな新姓の創設をも可能にする安定した家族生活を営みうる社会的基盤の整備であるように思われるのである。

第Ⅰ部注

（1） F.Engels; *Der Ursprung der Familie, des Privateigentums und des Staats, MEW.* Bd. 21, SS. 27-28.（全集二一巻二七頁。）

（2） H. Cunow; *Die Marxsche Geschichts-, Gesellschafts und Staatstheorie*, Berlin 1923, Bd.II, S. 141.

（3） I・V・スターリン『弁証法的唯物論と史的唯物論』石堂清倫訳、国民文庫版一九五三年一一二頁。V. Svetlov; O Knige Engels "Der Ursprung der Familie, des Privateigentums und des Staats", *Bolsheik*, No. 23, Moscow, 1940. なお、これらに依拠した旧ソ連のエンゲルス批判について、柳春生「エンゲルス『起源』における家族および国家の問題について」『法政研究』二二巻二～四号、一九五五年 が詳細に紹介している。

（4） 青山道夫「家族学説の諸問題」『家族問題と家族法Ⅰ』酒井書店、一九五七年。同「唯物史観と家族理論」『法政研究』二八巻一号、一九六一年。江守五夫「家族史研究と唯物史観」、同「いわゆる《種の繁殖》命題と史的唯物論」、『家族の起源―エンゲルス「家族・私有財産および国家の起源」と現代民族学』九州大学出版会、一九八五年 所収。

（5） G.W. Plechanow; *Zur Frage der Entwicklung der monistischen Geschichtsauffassung*, Berlin, 1956. 今中次麿「エンゲルスの『起源』の序文における二、三の問題」『法政研究』一九巻一号、一九五二年。

（6） 青山道夫 前掲のほか、江守五夫「法民族学の基本的課題」『今日の法と法学』勁草書房、一九五九年、三三六～三五三頁を参照。

（7） 玉城肇「家族史研究上におけるL・H・モルガンの意義」『愛知大学法経論集』六号、一九五三年。同「家族集団と社会発展との関係」『法律時報』三二巻一三号、一九六〇年。同「唯物史観と家族集団」『松山商大論集』一七巻六号、一九六六年。以上の論争のプロセスについては、江守前掲書のほか戸谷修『家族の構造と機能』風媒社、一九七〇年、第一章を参照されたい。

（8）K. Marx-F. Engels; *Die Deutsche Ideologie, MEW. Bd. 3*, SS. 28-29.（全集三巻二四〜二五頁。）

（9）三浦つとむ『マルクス主義の復原』勁草書房一九六九年八〇〜八六頁。田中吉六「史的唯物論のエレメントと二種類の生産」『思想』一九六〇年四月号。同「史的唯物論と生活の生産」『情況』一九六九年三月号。黒田寛一『社会観の探求』現代思潮社、一九六一年、三七〜四二頁。

（10）K. Marx; *Das Kapital I, MEW.* Bd. 23, SS. 192.（全集二三巻二三三頁。）

（11）L. H. Morgan; *Ancient Society*, New York 1877, pp. 417-458.（『古代社会』青山道夫訳、岩波文庫。）F. Engels; *a. a. O.*, SS. 43-57.（全集二一巻四二〜五八頁。）

（12）F. Engels; *a. a. O.*, SS. 65-66.（前掲書六六〜六七頁。）

（13）*Ebenda*, SS. 49-51.（同四八〜五一頁。）

（14）Iu・I・セミョーノフ『人類社会の形成（上）』中島寿雄他訳、法政大学出版局、一九七〇年三七〜四一頁。布村一夫『原始共同体研究』未来社一九八〇年、五五〜六〇、九九〜一三九頁を参照。

（15）F. Engels; *a. a. O.*, S. 100.（前掲書一〇三頁。）

（16）A・G・ハルチェフ『ソ連邦における結婚と家族』寺谷弘壬訳、創元社、一九七六年、二七頁などを参照。

（17）B. K. Malinowski; Marriage, in *Encyclopedia Britanica*, London 1929, vol. 14, p. 950. *Argonauts of the Western Pacific:an account of native enterprise and adventure in the archipelagoes of Melanesian New Guinea*, 1922.（「西太平洋の遠洋航海者」寺田和夫・増田義郎訳『世界の名著五九巻』中央公論社、一九六七年。）以上の学説史の整理として、江守五夫『結婚の起源と歴史』社会思想社一九六五年、四七頁以下。不破哲三『講座「家族、私有財産および国家の起源」入門』新日本出版社、一九八三年、八五〜一〇五頁が参考になる。

（18）G. P. Murdock; *Social Structure*, 1949.（『社会構造』内藤莞爾監訳、新泉社、一九七八年。）なお、これについて笠原政治「マードックの理論」蒲生正男編『現代文化人類学のエッセンス』所収、ペリカン社、一九七八年が参考になる。

（19）C. Lévi-Strauss; *Les Structures élémentaires de la Parenté*, 1949, pp. 35-51.（『親族の基本構造』福井和美訳、青弓社、二〇〇〇年。）

（20）F. Engels; *a. a. O.*, S. 159.（前掲書一六三頁。）

（21）江守五夫『家族の起源』前掲一二三～一二七頁を参照。

（22）F. Engels; *a. a. O.*, SS. 170-171.（前掲書一七四頁。）

（23）K. Marx; *Grundrisse der Kritik der polischen Okonomie*, Okonomische Manuskripte 1857-1858, Teil2, *MEGA*, 2. Abteilung, *Das Kapital und Vorarbeiten*, SS. 378-381.（『資本論草稿集』二巻一一七～一二二頁。）「資本制生産に先行する諸形態」における共同体のタイプ論から歴史的な家族の形態を再構成した最初のものとして、大塚久雄『共同体の基礎理論』岩波書店一九五五年が、いまだ有用であろう。

（24）K. Marx; *a. a. O.*, SS. 381-383.（前掲書一二二～六頁。）大塚 前掲書七二～三頁。吉野悟「ローマ家族の原理的構造」『家族史研究（一）』大月書店、一九八〇年を参照。

（25）F. Engels; *a. a. O.*, S. 164.（全集二一巻一六八頁。）また、第四版の訂正として*a. a. O.*, SS. 136-137.（同一三六～七頁。）なおエンゲルスおよびマルクスのゲルマン的共同体像の変容過程について、熊野聰『共同体と国家の歴史理論』青木書店、一九七六年、一三四頁以下が参考になろう。

（26）K. Marx,; *a. a. O.*, SS. 383-389.（前掲書一二六～一三三頁。）大塚前掲書 八九～九〇頁。なお、O. BrunnerやW. H. Riehlの「全的な家」の概念について、若尾祐司『ドイツ奉公人の社会史―近代家族の成立』ミネルヴァ書房、一九八六年、二四九～二五五頁を参照。

（27）F. Engels; *a. a. O.*, SS. 62f.（全集二一巻六三頁以下。）また、『起源』の第一版と第四版の異同については、布村一夫前掲書二九三〜三一九頁を参照されたい。

(28) F. Engels; *a. a. O.*, S. 75.（前掲書七八頁。）

(29) *Ebenda*, S. 73.（同七五頁。）

(30) *Ebenda*, SS. 77-78.（同七九〜八〇頁。）

(31) cf. Th. Hobbes.; *Leviathan*, ed. by B. B. Oakeshott, Oxford, 1960, Chap. 20. 30.（「リヴァイアサン」『世界の名著二三巻ホッブズ』永井道雄ほか訳、中央公論社、一九七一年、二二〇〜二二、三四七頁。）J. Locke; *Two Treatises of Government*, Chap. 6.（「統治論」『世界の名著三二巻ロック、ヒューム』宮川透訳、中央公論社、一九八〇年、二二五〜二四〇頁。I. Kant.; *Die Metaphysik der Sitten*,1 Teil, *Metaphysische Anfangsgrunde der Rechtslehre*, §. *22-27*.（「人倫の形而上学・法論の形而上学的基礎論」『世界の名著三二巻カント』加藤新平・三島淑臣訳、中央公論社、一九七二年、四〇七〜四一一頁。）

(32) A. Bebel; *Die Frau und der Sozialismus*, 1883, S. 50. Aufl., 1909.（『婦人論』草間平作訳、岩波文庫。）とくにその第二篇「現代の婦人」を参照。

(33) L・D・トロツキー「家族のなかでのテルミドール」『裏切られた革命』現代思潮社、一九六九年。なお、藤田勇「社会主義革命と家族」『講座家族Ⅰ』弘文堂一九七三年。森下敏男「家族消滅論のイデオロギー構造」『ネップからスターリン時代へ』渓内謙・荒田洋編、木鐸社、一九八二年。同『社会主義と婚姻形態』有斐閣、一九八八年。福島正夫「社会主義の家族観」『講座家族Ⅷ』弘文堂、一九七四年などを参照。

(34) 上野千鶴子『家父長制と資本制—マルクス主義フェミニズムの地平』岩波書店、一九九〇年が代表的であろう。こうしたマルクス主義フェミニズムに対する批判としては、山下悦子『「女性の時代」という神話』青弓社、一九九一年、第一章がある。

(35) vgl. K. Marx-F. Engels; *Die Deutsche Ideologie, MEW.* Bd. 3. S. 22.（全集三巻一八頁。）K. Marx; *Grundrisse, MEGA.* 2. Abteilung, *Das Kapital und Vorarbeiten,* Bd. 1. Teil 2, S. 379.（『資本論草稿集』二巻一一九頁。）K. Marx; Das *Kapital I,* MEW. Bd. 23, S. 372.（全集二三巻四六一頁。）

(36) F. Engels; *Das Kapital I, MEW.* Bd. 23, S. 373, 50a.（全集二三巻四六二頁 におけるエンゲルスの補注五〇a。）

(37) K. Marx; *Grundrisse, MEGA.* 2. Abteilung, *Das Kapital und Vorarbeiten,* Bd. 1, Teil1, S. 91.（『資本論草稿集』一巻一三八頁。）

(38) G. W. F. Hegel; *Grundlinien der Philosophie des Rechts,* 1821, §158-180.（「法の哲学」『世界の名著三五巻 ヘーゲル』藤野渉訳、中央公論社、一九六七年、三八六～三九一頁。）

(39) *Ebenda,* §75.（同訳書二七六～二七七頁。）

(40) K. Marx; *Der Ehescheidungsgesetzentwurf, MEW.* Bd. 1, S. 148-151.（全集一巻一七三～一七六頁。）

(41) K. Marx; *Das Kapital I, MEW.* Bd. 23, S.600.（同八二一～八二二頁。）

(42) *Ebenda,* S. 658.（同八二一頁。）

(43) *Ebenda,* S. 186.（同二二五頁。）

(44) *Ebenda,* S. 417.（同五一五頁。）

(45) vgl. K. Marx; *Das Kapital III, MEW.* Bd. 25, S. 383-403.（全集二五巻四六三～四八九頁。）なお、家族を、市場原理を舞台裏で補完する私的保護の装置として捉える古典として、沼正也『財産法の原理と家族法の原理』三和書房、一九六〇年 がある。また、相続を生存家族の生活保障の観点から把握するものとして、中川善之助『家族法の諸問題』勁草書房、一九六九年 に始まる法学の研究史が参考になろう。

(46) K. Marx; *Das Kapital I, MEW.* Bd. 23, S. 672.（全集二三巻八三八頁。）

(47) 宇野弘蔵「資本制生産の基本的矛盾とその解決」『社会科学と弁証法』（梅本克己との共著）岩波書店、

一九七六年、二二一頁。

(48) 山本笑子「英法における扶養義務について」『法学論叢』五九巻五号、同「英法上の扶養命令とその強制について」『比較法研究』八号。

(49) 同「イギリス産業革命と家族」『家族問題と家族法Ⅰ』酒井書店、一九六〇年。小山路男「イギリス公的扶助の形成と変質」『社会保障の権利』有斐閣、一九六七年を参照。

(50) 鈴木禄弥「近代ドイツにおける家族法」『家族問題と家族法Ⅰ』前掲。太田武男「ドイツ法における扶養義務」『比較法研究』八号。後発資本主義における家父長制の把握として、宇野弘蔵「わが国農村の封建性」『宇野著作集八巻』岩波書店、五八頁を参照。

(51) この点について、J・ドンズロ『家族に介入する社会』新曜社、一九九一年。中村達也編『家族に侵入する社会』岩波書店、一九九二年などが参考になる。

(52) M・ダラ・コスタ『家事労働に賃金を』インパクト出版会、一九八六年。これに対する批判としてはK.Polanyi; *The Great Transformation*, 1957のいう、非市場社会の互酬(reciprocity)・再分配(redistribution)に埋め込まれた「家族経済(householding)」論。I. Illich; *Shadow Work*, 1981, *Gender*, 1982などの説くジェンダーの非対称論。青木やよい「女性性と身体のエコロジー」同編『フェミニズムの宇宙』新評論、一九八三年などが参考になろう。

(53) vgl. K. Marx; *Entwurfe einer Antwort auf den Brief von V. I. Sassulitch* , *MEW*. Bd. 19, S. 386.(全集一九巻三八八頁。) K. Marx; *The Ethnological Notebooks.*(全集補巻四巻二九九頁。)

(54) 夫婦別姓の導入について、それが別姓への一元化ではなく、同姓と別姓のいずれでも選べる「選択制」だから、個人の自由な意思による選好の幅が広がるだけであり問題はないという推進論議がある。しかし、こうした選択制は「姓」の概念をかぎりなく曖昧にするものであり、実質的に姓の不要論につながるものといえよう。

(55) 夫婦別姓賛成論として、滝沢聿代『選択的夫婦別氏制―これまでとこれから』三省堂、二〇一六年。反対論として、宮崎哲弥ほか編『夫婦別姓大論破』洋泉社、一九九六年を参照。

第Ⅱ部　私的所有論

一　私的所有というプロブレマティク

私的所有は、エンゲルスのいうような人類史五〇〇〇年にわたる文明期一般の社会関係ではない。それはむしろ、封建制共同体の最終的解体によって近代資本主義において、はじめて一般的となった法イデオロギーである。資本主義社会では、人間関係が商品経済によって一元的に編成される。そこでは、人と人との関係は契約として、また、その担い手としての人は自由で平等な同型の人格としてあらわれる。これに対応して、人の物に対する支配が初めて私的所有と観念されるのである。

こうした私的所有を、資本主義のイデオロギーとして解読した古典として、私たちはすでに、カール・マルクスの『資本論』という比較的完成度の高いテキストを持っている。とりわけその第一巻一章の商品論における「価値形態論」と呼ばれるロジックについては、すでに膨大な研究の蓄積があり、いまさら再検討の余地など残っていないようにみえる。しかしながら、これをひとたび所有論の観点から読み返してみると、そこにはあまりに多くの未開拓の領域が広がっているのに驚かされる。

すなわち、これまでの研究のほとんどは、価値形態論（一章三節）と交換過程論（二章）との関連について十分に吟味しないまま、交換過程の主体としての「商品所有者」を、そのまま価値形態のロジックの中心に、したがって資本主義商品経済の解明の前提に据えるものであった。いいかえればそれは、エンゲルス以来の文明史を貫く「私的所有社会」一般を想定して、近代的所有をその特殊形態として分析しようとするものであり、今日の社会思想的知見をふまえたテキスト・クリティークに到底耐えうるものであるとは思われない。

それゆえ、『資本論』において「所有」というカテゴリーをどのように理解するかについて、じつは、いまだほとんど手付かずのまま現在に残されているといってもよいだろう。

だが幸運なことに、マルクスの教条的な解釈研究は、二〇世紀末の冷戦構造の終焉とともに木っ端みじんに崩れ去った。それは、科学主義で客観主義的なロシア・マルクス主義のドグマのみならず、人間主義的で主観主義的な西欧マルクス主義をも、同時に崩壊させるものであった。この意味で、いわゆるマルクス＝レーニン主義による「物質の形而上学」だけではなく、G・ルカーチ流の主体性唯物論、H・マルクーゼの人間疎外論、J・P・サルトルらの現象学的ないし実存的マルクス主義といった「人間の形而上学」も、等しくその歴史的使命を終えたといってよいだろう。

マルクスの〝聖典〟は祭壇から引き降ろされた。もはや物質も人間もその他いかなるイデアも、神なきあとの「主体」の地位に就くことはできない。『資本論』にかんしても、近代社会における主体としての〝私的所有者〟の位置が根本的に再考されねばならないゆえんである。

第Ⅱ部では、マルクス経済学をはじめ法学・社会学などあまたの出来合いのテキスト体系をいったん取り壊し、いまいちど囚われのない眼で『資本論』の交換過程論と価値形態論における「私的所有」について考察してみることにする。そして、人が物を所有するとはどういうことであるのかを改めて問い直してみることにしたい。

二　商品論の論理構造

最初に、『資本論』第一巻第一章の論理構造を簡単に整理しておこう。マルクスの『資本論』は有名な冒頭の次の一節をもって始まる。

「資本主義的生産様式の支配的である社会の富は、『膨大な商品の集積』としてあらわれ、個々の商品はこの富の原基形態としてあらわれる。したがって、われわれの研究は商品の分析をもって始まる(1)」

このように『資本論』の第一章第一節の叙述は、近代資本主義という社会システムがなによりも商品という社会関係の集積であって、けっして人間の集合ではありえない、というごく当たり前の、しかしもっとも重要な確認をもって開始される。もちろん商品とはまずなにより、人間のなんらかの種類の欲望を充足させる「使用価値」である。それは社会的形態のいかんにかかわらず社会の富の素材的内容をなす。だが商品はたんなる使用価値にとどまりえない。それはあくまでも「交換価値」の担い手となるかぎりでの使用価値でなければならない。この交換価値はまず、ある種類の使用価値が他の種類の使用価値と交換される時と場所によって異なる量的な比率としてあらわれる。

しかしながらマルクスは、この商品の交換価値の分析から、いきなりその本質としての価値の実体なるものを抽象してしまう。

ちょうど酪酸と蟻酸が化学的には共通の$C_4H_8O_2$に還元できるのと同様に、二つの商品、たとえば小麦と鉄との交換関係における「1クォーターの小麦＝aツェントネルの鉄」という方程式の背後には、両者に共通する「第三者」の存在が潜んでいる。したがって、商品の交換比率から「蒸留法」にもとづいて使用価値を捨象すれば、商品体に残るのはただ一つ、人間の労働生産物という共通の属性だけだというのである。しかも使用価値の捨象によって建築や紡績、農耕といった労働の具体的有用性も消失してしまうため、そこに残るものは、価値の実体の結晶としての無差別な「抽象的人間労働」のみであることになる。これがマルクスのいわゆる労働価値説の論証のほぼすべてであった。

これをふまえて第一章二節では、商品に具体化される労働の二重性が、使用価値を生産する具体的有用労働と価値を産み出す抽象的人間労働として分析される。

商品が一つの使用価値であるかぎり、これを生産する一定の種類の労働が必要である。たとえば上衣とリンネルが質的に異なった使用価値であるように、それを形成する労働も質的に異なる裁縫と機織りというかたちをとって現われる。これが具体的有用労働である。こうした使用価値を形成する有用労働は、あらゆる社会形態から独立した人間の存立条件であり、それは人間と自然の物質代謝を媒介する永久的な自然必然性である。

これに対して、商品を価値としてみた場合には、たとえば上衣もリンネルも等しく同一性質の労働が対象化されたものである。すなわち裁縫と機織りは質的に異なった労働であるが、それは等しく人間の頭脳・筋肉・神経・手などの活動の生産的支出であり、この意味では両者はともに抽象的人間労働である。こうした人間労働は、人間の肉体的有機体のなかにもっている労働力の支出であり、それは、一定の社会においてさまざまに複雑なかたちをとる労働が単純労働に通約されることを通じて平均化され与えられることになる。

もっとも、商品の価値の根拠を人間の労働に求めるというだけなら、すでにA・スミスやD・リカードウなどの古典派経済学が唱えた一種のヒューマニズム・イデオロギーの受け売りにすぎない。おそらくそれはまた、若きマルクスがヘーゲル左派から継承した人間の疎外された労働が私的所有を生むという哲学を、そのまま経済学に適用したものでもあったのだろう。いずれにしても労働価値論に、それゆえ「労働にもとづく所有」論に、なんらマルクスのオリジナリティはない。逆に、商品がなぜ価値物として所有されるのかという謎の解明こそ、アリストテレス以来「人間精神が二〇〇〇年以上も前から虚しくその解明に努めてきた」ところのものであり、マルクスをして「私によって初めて発見された[2]」と自負せしめる『資本論』の独自の成果である。これが、つづく第一章三節の価値形態論において考察されるはずであった。

しかしまた、マルクスの価値形態論の展開は、せっかく商品の価値表現における独自のプロセスを問題にしながら、第一節においてあらかじめ価値実体としての労働なるものを前提として置いたことが禍害して、当初の意図を十分に達成できずに終わってしまった。そこでは、商品の価値の表現形態である交換価値と使用価値の関係、したがってまた相対的価値形態と等価形態のもつ非対称的性格が軽視され、商品自身が初めから投下された人間労働の体化物として所有され交換されるかのように説かれることになったのである。

こうして第一章四節でマルクスは、机が商品としてあらわれると、脚で床の上に立つのでなく、他のすべての商品に対して頭で立ちその木頭から狂想を展開するという軽妙な比喩によって「商品の物神性」を説明する。それは、商品経済においては、具体的な社会的人間の関係が個別的な商品体それ自体に物象化され転倒して表現されることを意味する。

「商品形態は、人間にたいして人間自身の労働の社会的性格を労働生産物そのものの対象的性格として反映させ、これらの物の社会的属性として反映させ、したがってまた、総労働にたいする生産者たちの関係をも諸対象の彼らの外に存在する社会的関係として反映させる。……こうしたとりちがえ（Quidproque）によって労働生産物は商品となり、人間の頭脳の生産物がそれ自身の生命を与えられて、人間に相対する感覚的にして超感覚的な独立の姿をとるようになる。(3)」

周知のように、たとえばG・ルカーチや加古祐二郎は、マルクスのこの「商品の物神性」論に依拠して、なぜ近代社会においては自由で平等な同型の「私的所有者」という法的人格が成立するのかを明らかにしようと試みた。それは、「商品物神性に必然的にともなう法物神性のうちに見いだされるところの特殊の範疇」、すなわち「商品の仮象的対象性にもとづく物象の人格化(4)」に根拠をもつというのである。

しかしながらマルクスのいう商品の物神性とは、その篇別構成上の位置が示すように、「労働生産物が商品として生産されるやいなやこれに付着するものであり、したがって商品生産と不可分のもの」

であるにすぎなかった。つまり商品の担い手としての人間は、その当初から、抽象的人間労働の体化にもとづいて均質化され同型化された商品関係の人格的表現として登場し、そのままで普遍的で自由・平等な法的主体すなわち「私的所有者」の地位を与えられることになったのである。

マルクスは、資本主義という社会システムを正しく「商品の集積」と規定しながら、結局これをそのまま〝人間の集合〟に解消してしまっていると言わざるをえない。

三　交換過程論における私的所有論

1　交換過程論の疑問点

『資本論』第一巻は、その第一章「商品」のうちに、すでに価値実体としての労働および商品の物神性なるものを説いてしまった。そのために、これを継承する第二章「交換過程」のコンテキストは、商品相互の価値関係を人間どうしの意思関係に翻訳して説明するものとならざるをえない。その結果、労働を投下した人間がそのまま生産物としての商品の所有者とみなされ、しかるのちに、こうした私的所有者が契約によって交換関係に入るものと解釈されることになった。

このような理解に立てば、「交換過程論」の論旨はおよそ次のようになろう。

商品は自分で自分たちを交換し合うことはできないのだから、交換には必ずそれを行なう番人の存在が必要となる。諸個人は相互の意思行為にもとづき、自分の商品を譲渡することによって他人の商品を取得する。このようにして、諸個人が相互に商品を取り換える行為が「交換」であり、それは経済的諸関係が反映された私的所有者による相互の承認関係である。もっとも、個々の人間がその商品を他の一つの商品と交換する関係は「個人的過程」であるが、彼がそれを他のあらゆる商品によって実現しようとすれば、交換は同時に「社会的過程」たらざるをえない。しかしながら、そのような、あらゆる人間にとって初めから個人的にして社会的であるような「交換」は存在しない。

ここで商品の番人は、当惑のあまりファウストのように考え込む。初めに「行為」ありき。彼の直面する交換の困難は、人間の「社会的行為」によって解決される。すなわちそれは、「あらゆる他の人間の社会的行為が、諸商品が全般的にその価値を表示する一定の商品を除外する」ことによって解決される。「この除外された商品（貨幣）によって、他のすべての商品が自己の価値を表示する」[5]のである。

ここでは、まず、それぞれの個人が、自分が生産した商品を譲渡することによって他人の商品を獲得する交換関係が前提とされ、次に、あらゆる人間が多数の商品と「一般的等価」のないまま雑多に関係しあう状態が、「交換の困難」として設定されているといってよいだろう。それゆえ、ここで述べられる「交換の困難」なるものは、使用価値としての労働生産物を直接交換することの不便性を意味するにすぎない。したがってまた貨幣のレゾンデートルは、こうした交換の不便を解消する手段にとどまることになる。

こうして、マルクスが「交換過程」でいう「共通の意思行為による私的所有者としての承認」とは、けっして商品の多様な価値表現が不均衡な価格変動をともないながら結果として一つの「意思関係」に収斂していくプロセスを意味するものではない。それは、さながらセーの法則どおりの初めから売りと買いが一致する直接的物々交換の世界であった。それゆえそれは、J・ロックの自然法思想と同じように、あらかじめ自然状態において自己の労働の投下によって正当な所有権を得る人間が存在し、しかる後に、そうした人間が互いに平等な契約によって社会状態に入るものとされる社会契約論の世界にすぎないことになる。

商品世界の構造の分析に先立って、労働生産者がそのまま私的所有者として位置づけられるロジックは、ひとまず、このようにしてできあがったと考えられよう。

じっさい、このような「交換過程」の理解に依拠して、古くは一九三〇年代ソビエトの法理論家であるE・B・パシュカーニスから戦後日本の法社会学者たちにいたるまで、商品交換に際して法的カテゴリーとしての所有権を前提とする論理がくりかえし主張されることにもなったのである。

「労働生産物が、商品の本性を獲得し価値の担い手になると同時に、人間は法的主体の本性を獲得し、権利の担い手になる。」(Paschukanis)

「一つの人間対人間の関係としての商品交換の規範関係においては、その論理的構造は、第一に私的所有権(商品交換の静的過程、権利の私的モメントの定在)、第二に契約(商品交換の動的過程、権利の社会的モメントの定在)、第三に人格(相互に媒介しあっているところの私的所有権と契約との、かつその両者を統一しかつその基礎・起点たるところの、所有権の私的性質の人間における定在)である。」(川島武宜)

「商品交換が経済的事実として成立することを法的に保障せしめる最小限不可欠の範疇として所有権をとらえる。」「このような範疇として、…第一は交換の客体たるべき『物』であり、第二は右の『物』の魂たり手足たる存在として、右交換を実現すべき『人』であり、第三は右交換を実現すべき『行為』である。[6]」(山中康雄)

けれども、『資本論』の「交換過程」を読み進んでいくと、ひとつの疑問に突き当たらざるをえない。マルクスの論述は、本当に、このような労働による生産者をそのまま商品の私的所有者とみなすロジックで一貫しているであろうか。いいかえれば、私的所有は、商品生産者のたんなる相互承認とみなされているのであろうかという疑問である。じつはマルクスは、同じ第二章「交換過程」の後半部分では、商品交換を人間労働の等置に解消するのではなく、多様な共同体と共同体の間における関係性それ自体から説き起こすロジックを展開しているように思われるからである。

「諸物は、それ自体として人間にとって外的なものであり、したがって譲渡されうる。この譲渡が相互的であるためには、人々はただ暗黙のうちにその譲渡される諸物の私的所有者として相対するだけでよく、またそれによって互いに独立した人格として相対する。とはいえ、人間が互いに他人であるという関係は、自然発生的な共同体のメンバーにとっては存在しない。これは、その共同体のとる形態が、家父長制家族であろうと古代インドの共同体であろうとインカ帝国その他であろうと同じことである。商品交換は、共同体の果てるところで、共同体が他の共同体またはそのメンバーと接触する地点で始まる。(7)」

ここでは、商品の交換に先立って、けっして自己労働による私的所有者なる独立した人格が前提とされているわけではない。むしろ「主体」は、個人でなくても家父長制家族であろうと古代インドの共同体であろうとインカ帝国であろうと、なんでもかまわない。そこに「互いに他人であるという関係」さえあれば商品交換は成立するのであり、この相互他人的な関係性そのものが共同体の間から内へと浸透する結果、初めて私的所有が成立することになる。

もちろんマルクスの記述は、たんなる歴史的事実の跡付けにとどまっており、共同体と私的所有との関連が厳密に検討されているとは言いがたい。だがそれにしても、ここでは、あらかじめ特定の所有者を前提にすることなく、逆に、商品経済による共同体に対する分節の結果として「私的所有者」が措定される点は注目に値するだろう。

このように読むと、第二章「交換過程」の論述は、一見、矛盾をはらんでいるようにみえる。そこには、人間の労働を「私的所有」の根拠とする論理とともに、逆に、交換をその根拠とするロジックもまた含まれているように思われる。とりわけ先の引用部分は、あらかじめ労働による私的所有者が自存し、彼が契約によって社会関係に入るという自然法思想に対するラディカルな異議申し立てでありうる。すなわち、「私的所有」は、けっして商品経済の前提ではなく、むしろその結果として市場の結節に構成されるイデオロギーであり、それゆえ物象化された社会関係の人格的表現としてのみ位置づけられうるのではなかろうか。

2　私的所有のパラグラフ

こうした問題意識をもって、第二章「交換過程」の私的所有の概念を規定したパラグラフを読み直してみることにしよう。

「商品は、自分で市場に行くことはできないし、自分で自分たちを交換し合うこともできない。だから、われわれは商品の番人である商品占有者（Warenbesitzer）を捜さなければならない。商品は物であり、したがって人間にたいしては無抵抗である。もし商品が柔順でなければ、人間は暴力を用いることができる。いいかえれば、それを捕まえることができる。これらの物を商品として互いに関係させるためには、商品の番人たちは、自分たちの意思をこれらの物にやどす人格として、互いに相対しなければならない。したがって、一方はただ他方の同意のもとにのみ、すなわちどちらもただ両者に共通な一つの意思行為を媒介としてのみ、自分の商品を譲渡することによって、他人の商品を我がものにするのである。それゆえ、彼らは互いに相手を私的所有者（Privateigentümer）として認め合わなければならない。契約をその形態とするこの法的関係（Rechtsverhältnis）は、法律的に（juristisch）発展していなくても、経済的関係がそこに反映している一つの意思関係である。この意思関係または法的関係の内容は、経済的関係そのものによって与えられている。ここでは、人々はただ互いに商品の代表者としてのみ、したがって商品占有者としてのみ存在する。一般にわれわれは、展開がすすむにつれて、人々の経済的扮装はただ経済的諸関係の人格化でしかないのであり、人々はこの経済的諸関係の担い手として互いに相対するのだということを見いだすであろう(8)」

一見すると、たしかにここでは、商品交換の担い手として、あらかじめ「商品の番人」が置かれているようにみえる。しかし注意深く読んでみると、第一に、この番人は、偶然的で気まぐれな言わばその存在根拠をもたない商品の代表者としてWarenbesitzerという事実的カテゴリーによって把握されており、あらかじめ特定の労働に根拠づけられた人間が前提とされているわけではない。第二に、そこになんらかの「共通な一つの意思行為」が可能になることを媒介にして、ようやく初めて、抽象的で同型の「法的人格」が導き出されるというコンテキストに注意せねばならない。このようにして構成された「人格」がまさにPrivateigentümerというカテゴリーである。

したがってPrivateigentümerは、商品の事実的な番人であるBesitzerが互いに相手を承認し合う意思関係として、事後的に法イデオロギー的形態において成立するのである。

廣西元信の文献学的考証によれば、マルクスは『資本論』の全巻をつうじて、Besitz, Eigentum, そしてAneignungの各カテゴリーを厳密に区別して用いていたといわれる。

たとえば、一八六七年のドイツ語版の初版においてはEigentumと記されていた箇所が、一八七三年の第二版ではほとんどBesitzと書き改められている。また、ドイツ語版の初版と第二版ではGemeineigentumと記されていた箇所が、一八七五年のフランス語版（ラシャトゥル版）においてはpossession communeに変更され、これを定本にした一八八三年のドイツ語版第三版、一八九〇年の第四版ではすべてGemeinbesitzに書き換えられたことなどが考証されている。したがってまた、『資本論』第一巻一篇二章におけるBesitzとEigentumの区別は、マルクス自身が唯一全面校閲したフランス語版（ラシャトゥル版）『資本論』においても、possessionとpropriétéとして正確に使い分けられており、これを無視することはできないであろう。(9)

ところで、第二章「交換過程論」の当該箇所を邦訳でみてみると、大月書店版（岡崎次郎訳）においては、WarenbesitzerとPrivateigentümerがそれぞれ「商品所持者」と「私的所有者」と訳されているが、青木書店版（長谷部文雄訳）では、前者が「商品所有者」、後者が「私有権者」と訳されており、また岩波書店版（向坂逸郎訳）では、前者が「商品所有者」、後者が「私有財産所有者」と訳されている[10]。

たしかにPrivateigentümerは、マルクス自身が法的関係であると明言しており、その意味で、法イデオロギー的カテゴリーであることを明確にしておけば、「私的所有者」、「私有権者」などいずれの訳も間違いとは言えないだろう。しかしながら、Warenbesitzerを、長谷部、向坂両訳のように「商品所有者」と訳すことは、せっかくのマルクスにおけるBesitzとEigentumの区別をあいまいにして、Warenbesitzerが、はじめから、なにか法的な主体を表わすカテゴリーであるかのような誤解を招くことにもなりかねない。この点、岡崎訳の「商品所持者」という訳語は法的「所有」との峻別を明確にする点で優れているが、日常用語としての「所持」は、通常、動産に対する占有の必要条件を意味する。ここでは、動産と不動産を包括するより一般的なカテゴリーとして「占有」を採用することにしたい。

それゆえ、以下においては、Warenbesitzを商品占有、Privateigentumを私的所有というように整理して用いていくことにする。

3　占有と所有の諸学説

次に、この占有と所有の両カテゴリーの内容を検討することにしたい。『資本論』を中心としたマルクスの諸著作における Besitz と Eigentum の理解のしかたについては、すでに多くの学者や理論家による分析がある。順次検討しておこう。

林直道の見解

林直道は、フランス語版（ラシャトゥル版）『資本論』の研究にもとづいて、そこに登場する possession はドイツ語版の Besitz にあたり日本語で所有または占有を意味する。これに対して propriété はドイツ語版の Eigentum にあたり所有を意味する、と整理する。そして「占有は、所有のように対象に対する処分権を明示したことばではない。だから所有にもとづく占有もあれば、所有権なき占有もある。しかし、我がものとしての使用権はどちらにも含まれている」という。ここから林は、『資本論』において「所有」は対象物件を処分する権利を意味し、「占有」は用益する権利を意味する、と結論づける。

もっとも、このような「所有」と「占有」のカテゴリー区分は、フランス語版における propriété と possession の区別にそのまま対応するというわけではない。それゆえ林は注意深く次のように付け加える、

「フランス語版では所有がしばしば占有と変えられ、占有と所有が同義で使われている。……マルクスは、処分権が問題でなく使用権が問題であるような文章では、ドイツ語でEigentum（所有）となっていたものを、possession（占有）と表現したのであろう。だからここでいう『占有』はじつはドイツ語の『所有』と本質的になんら変わりはない。[11]」

しかし残念ながら、この林の見解は疑問であり、これを『資本論』第一巻二章「交換過程」における両カテゴリーの理解にそのまま当てはめることはやや無理があろう。

そもそも『資本論』第一巻において、占有はWarenbesitzerおよびpossesseur de la marchandiseというように、交換可能態としての商品への支配の文脈で使われているのであり、「処分権が問題でなく使用権が問題であるような」商品などというものは、およそ言語の形容矛盾であるといわねばならない。商品占有者は、少なくともわがものとして使用ないし用益することはありえない。たとえ権利として、いいかえれば可能性として自分自身による使用の道が残されているにしても、ひとたび彼が物に自己の使用価値として着目するとき、物は商品であることをやめざるをえない。すなわち、その番人は商品占有者であることを放棄するのである。それゆえWarenbesitzerは、いかなる意味でも使用ないし用益権者ではなく、可能性としての処分権の主体、換言すれば「他人のための使用価値」すなわち交換価値を事実として支配している人間でなければならない。

しかもなお、こうした占有（Besitz）と明確に区別されたカテゴリーとして、法イデオロギー的な私的所有（Privateigentum）を位置づけることが必要なのである。

田口富久治の理解

田口富久治は、『経済学批判要綱』「資本制生産に先行する諸形態」の研究を基礎にして、マルクスにおける占有と所有のカテゴリーの解明を試みようとする。

田口は「労働者がわがものとしての労働の客観的諸条件と関係をとり結び、自然を変革する」というマルクスの記述を、「個人的所有」すなわち「労働様式範疇としての所有」とみなし、これがフランス語版『資本論』におけるpossessionに該当するという。そしてこれと区別される「個々人が他人ととり結ぶ関係の観点」すなわち「生産関係範疇としての所有」なるものを導き出し、これがフランス語版『資本論』のpropriétéに当たるとする[12]。このpossessionとpropriétéが、基本的にドイツ語版のBesitzとEigentumに対応するカテゴリーである以上、田口が『要綱』から『資本論』にいたるマルクス連続説の立場にもとづいて、この基準で、『資本論』における占有と所有の両カテゴリーの区別を行なっているとみてよいであろう。

たしかにマルクスは、『要綱』「序説・経済学の方法」においては、「ヘーゲルが、主体の最も簡単な法的関係としての占有をもって法哲学を始めているのは正しい[13]」と述べている。そして、ヘーゲルの『法の哲学』にならい、「労働」を、人間が物に規定と魂を与える第一の自然の形成者と位置づけ、これを占有カテゴリーの根拠とみなして、その経済学体系の出発点に据えている。

だが、こうした『要綱』の方法をそのまま『資本論』にまで一貫するものと考えるのは、やはり困難であろう。マルクスは『要綱』第二章の「世界貨幣」を論ずる段になると、「資本の概念を展開するためには、労働からではなくて価値から、しかも流通の運動において発展した交換価値から出発することが必要である。労働から資本に直接に移行することは不可能である」[14]という大きな方法的転換を示す。そして一八五八年の『要綱』七冊ノートの末尾において、初めて「ブルジョア的富が自己を表現する最初のカテゴリーは商品カテゴリーである」という、のちの五九年の『経済学批判』、六一〜六三年の『剰余価値学説史』、六七年の『資本論第一巻』へと継続する論理的出発点にたどり着くのである。

したがって『資本論』第一巻二章でまず登場する商品占有者（Warenbesitzer, possesseur de la marchandise）は、「労働者が…労働の客観的諸条件と関係をむすび自然を変革する」という、労働によって生産物を獲得した人間、すなわち田口のいう個人的所有者なるものに決して限定できないはずである。そもそも交換過程における商品の占有は、必ずしも直接生産者による労働生産物の生産によって始まるとは限らない。マルクスがいうように、およそ商品というあらわれは、「家父長制家族であろうと古代インドの共同体であろうとインカ帝国その他においてであろうと」、労働様式の違いによってその形態になんら差異はない。本源的な占有の取得が、たとえ労働・生産によらず経済外的な収奪や暴力的な強奪であったとしても、その商品たる属性にまったく変わりはないのである。

これに対し、なるほど私的所有（Privateigentum, propriété privée）は、こうした商品占有者の「共通な一つの意思行為」による交換を媒介として成立する法イデオロギーであり、そのかぎりで田口のいうように、「個々人が他人ととり結ぶ関係」概念であるといえる。しかし、ここからただちに、このカテゴリーを「生産関係範疇としての所有」などと言えるであろうか。『資本論』の「交換過程」は、ひとまず生産過程から区別された流通の場に即して設定されている点を見過ごすべきではない。

私たちは田口の所有論に、初期マルクスから『要綱』にまで通底する、労働・生産過程の発展をもって所有の歴史過程とみなす生産中心の唯物史観イデオロギーが、大きな足枷となっているのを見て取ることができるであろう。

ラズモフスキーの理論

以上の『要綱』から『資本論』にいたる占有カテゴリーの変化の確認は、旧ソヴィエトの初期正統派であるI・P・ラズモフスキー以来の「占有」理論の限界をも明確にするものである。

ラズモフスキーはパシュカーニスの形式主義を批判して、すべての階級社会に共通する特徴的な社会関係を私的所有であると考え、それを象徴するもっとも簡単な法的関係として、「占有」を法イデオロギーの分析の出発点に据えた。ラズモフスキーによれば、占有こそは、事実上の取得から法的な所有へと発展するカテゴリーであり、社会における支配と従属の関係をもっとも端緒的に表現するものである、とされる。[15]

ここには、ヘーゲルの『法の哲学』に示された、「占有」から所有を中心とする「抽象法」を経て「市民社会」の解明にいたる法カテゴリーの弁証法的自己発展論の踏襲がみられる。それはまた、先にみた田口による労働様式としての占有（possession）と生産関係としての所有（propriété）とを区別する主張の先駆とみることもできよう。これによってラズモフスキーは、パシュカーニスに欠落していた「支配従属関係としての法の階級性」を追求しようとしたのであり、パシュカーニスの『資本論』による法学から、いわゆる唯物史観にもとづく法の一般理論へと逆戻りしたということができる。

こうしたラズモフスキーの所有論にはまた、マルクスというよりもむしろエンゲルスの弁証法的歴史観、すなわち「社会的生産と私的取得の矛盾」をもって所有の発展過程を説く方法が大きな影響を与えていたとみることができよう。いうまでもなくエンゲルスのシェーマにおける生産と取得の一致がラズモフスキーのいう「占有」にあたるのであり、両者の矛盾する状態つまり生産を離れた取得が、その「所有」カテゴリーに表現されている。それはまた、直接生産者と生産手段の一致から両者の分離にいたるプロセスを階級関係の形成とみなすものであり、最終的に「生産関係の基礎は生産手段の所有形態である」というI・V・スターリンのドグマに集大成される所有論の流れに沿うものでもある。

ラズモフスキーが、『資本論』冒頭の商品に「生産一般」を想定し、生産関係の発展にともなって法イデオロギーが占有から所有へと進化すると考えるとき、私たちはここに、『資本論』を史的唯物論の一特殊部門に解消して理解しようとしたロシア・マルクス主義の古くかつ悪しき一つの典型を見いだす。それは、一九三〇年代にスターリン＝ヴィシンスキーの「法の定義」によって神格化され、以後九〇年代のソ連邦の崩壊まで延々と続いた「科学的社会主義」理論なるものの先鞭をなすものとみなしうるであろう。

パシュカーニスの再検討

これまでまったく注目されなかった点であるが、E・B・パシュカーニスにおいても事実上、WarenbesitzとPrivateigentumの区別が存在している。先にもみたようにパシュカーニスの法理論はこれまで、「マルクスにおいては、主体の形態の分析は商品の形態の分析から直接に導き出されている」などという言説を中心に理解され、それゆえこれに対する批判も、商品形態と法的主体（人格）の無媒介的な直結のシェーマに集中してなされてきた。しかしパシュカーニスは、別の箇所では次のように述べる、

「商品所有者は互いに相手を私的所有者と『認め合う』まえに、いうまでもなく、他の有機的・法外的な意味において商品所有者であった。『相互の承認』は、労働や強奪などにもとづく有機的取得を、法的な契約という抽象的な定式の力をかりて説明する試み以外のなにものでもない。[16]」

一般に誤読され理解されているが、パシュカーニスは、商品の形態から直接に導き出される人間を、決してそのまま法的主体と見なしているわけではない。彼はまずそれを「法外的な」主体としての「商品所有者」であるとする。こうした事実としての商品の担い手が、『資本論』第二章「交換過程」にいうWarenbesitzerを意味していることは想像に難くない。パシュカーニスがこれを商品所有者と呼ぶのは、主として翻訳上の問題であり、正確には「商品占有者」とするべきであることは言うまでもない。

しかもパシュカーニスが他の理論家から傑出している点は、こうした「法外的な意味での商品所有者（占有者）」を、決して自己の労働行為をつうじて商品を手に入れた生産者に限定することなく、その本源的取得の根拠として、「強奪などにもとづく有機的取得」をも挙げている点であろう。すな

わち、商品の占有者がその地位につく根拠をとりあえず不問に付しているのであり、きわめて評価されるべき見解であると言わねばならない。つづけてパシュカーニスはいう、

「市場の発展のみが、労働あるいは強奪によって物を取得する人間を、法的な所有者に変える可能性と必然性を初めてつくりだす。」「経済的な主体は、価値法則のかたちで自分の背後に形成される経済的関係に奴隷のように従属するが、あたかもその代償のように、法的主体として…法的に規定された意思を受けとる。[17]」

ここでパシュカーニスは、市場メカニズムによって構成され、個々人はそれに従属するしかない意思関係として、私的所有者（Privateigentümer）という法的主体を設定している。このWarenbesitzerとPrivateigentümerの区別自体は完全に正当であろう。だが、「強奪によって物を取得する」正当な根拠をもたない経済的占有者が「市場で出会う」ことから、どのようにして法イデオロギー的に妥当する私的所有者の「意思関係」が成立しうるのであろうか。残念ながらパシュカーニスは、『資本論』第一巻のなかから二章「交換過程」だけを取り出し、その全体に占める体系的位置を反省的に考察しないために、このような私的所有（Privateigentum）の存立を支える市場メカニズムを十分に解明しえていない。

中野正の整理

以上のWarenbesitzとPrivateigentumの関係を明確にしたほとんど唯一の理論家として、最後に、中野正の見解を紹介しておきたい。中野は、宇野経済学をベースにしてきわめて高度な所有論を展開している。中野はいう、

「商品交換の主体が相互に認め合わねばならぬ私的所有（Privateigentum）は、たとえばいわゆる支配にもとづく所有や物に対する占有による所有とは別程の……商品関係そのものの設定する所有であり、商品の売買そのものに含まれる取得様式であった。商品交換ないし商品流通がきわめて相異なった社会的生産様式のあいだに成立することができ、……いずれの様式で生産されたかを問わず、商品として流通に入り込むことができるとすれば、それは、人がどのような手続きで所有者（占有者Besitzer）の地位にたつにいたったかは、なんら流通の契機をなすものでなく、したがって商品の成立過程、こうしてまた本源的取得過程は流通の彼岸によこたわる。この点から商品交換ないし商品流通そのものによって設定される私的所有（Privateigentum）は、商品化される生産物の生産過程での取得様式には無関心だということになる。[18]」

たしかに商品という関係は、本源的な共同体・奴隷制生産・小農民的生産などどんな生産様式において生産されたとしても、また、奴隷・農奴・貴族・領主あるいは自営農民・商人・資本家などいかなる人間がどのような取得過程をへて占有にいたったとしても、それが「他人のための使用価値」で

あり、したがって「取得した人間にとって非使用価値として、直接的欲望をこえる分量の使用価値としての使用対象性の定在」であることを条件とするかぎり、事実として存立しうる。

それゆえ中野の指摘するとおり、商品占有者（Warenbesitzer）は、生産過程はおろか流通からも「彼岸的」である。すなわち、彼がどのような主体であるのか。個人か、家族や共同体などの団体か。なぜ今その地位にいるのか。労働によるのか、相続や贈与あるいは窃盗、強奪なのか。これらのことは全く不明であったとしても「交換過程」は成立するのである。

したがって交換過程は、それに先立つWarenbesitz（占有）の主体をひとまず不問に付し、その本源的取得過程に無関心のまま、「商品交換ないし商品流通そのものによって」Privateigentum（私的所有）を設定していくことになるのである。

4　交換過程における占有と所有のカテゴリー

占有の概念

以上のように、『資本論』の出発点における商品の番人の性格、すなわち商品論における人と物の無根拠かつ事実的な結合関係を確認したとき、私たちはようやくその第一巻二章「交換過程」において、交換の前提として登場する商品の占有（Warenbesitz）を正確に理解することが可能になる。

さしあたり商品が占有されているといえるためには、次の条件が必要となろう。

第一に、彼は自己の意思により他者の使用や消費を排してある物を事実として所持しているのであり、また第二に、自己にとっての有用物は自己の手になく他者の支配下にあるのである。しかし、最も重要なのは、その占有者たる地位の権原および内容にかんして何ら問題とならないことである。すなわち、彼がどのようにしてその物を取得するにいたったか、彼はいかなる主体なのかをいっさい問わず、ただ現実に物を所持し支配しているという事実だけが中空に浮かんで存在しているにすぎない。それはまさに、ローマ法にいうポセッシオ（possessio）と、ほぼぴったりと合致する概念であることが確認できよう。

市場経済が一定の発展をみた古代ローマにおいて、物の支配としてのポセッシオは、物の法規範的支配である所有と完全に切り離され、所有権その他の本権の存否と無関係な、すなわち法的正当性と区別された事実的支配そのものとして位置づけられた。

そして近代ヨーロッパの大陸法系に属する諸国は、このローマ法の継受によってほぼ共通に、占有を、体素としての事実と心素としての意思によって構成することになる。これら各国の民法は、「占有」の要件を、第一に社会通念上、物がその担い手の事実的な支配内にあると認められる客観的関係、すなわち所持されているという事実に求め、第二に、それを証明する何らかの意思の必要を説く。F・K・サヴィニーの所有者意思説、B・ヴィンドシャイトの支配者意思説、R・イェーリングの所持意思説、そしてH・デルンブルヒの自己のためにする意思説など諸説があるが、通説では、物の支配によってなんらかの利益を自分に帰属させる意思および帰属している事実そのものが要件とされるにすぎない。[19]

それゆえ日本の民法典もこの例に漏れず、その第一八〇条において、「占有権は、自己の為にする意思をもって物を所持することに因って取得する」と簡略に規定するにとどめるのである。

これは、『資本論』の「交換過程」においてマルクスが、商品占有者（Warenbesitzer）を、人間にたいして無抵抗な商品を「暴力を用いて」「捕まえる」事実的支配の担い手として、そしてまた、「自分たちの意思を物にやどす番人」として、直接的な所持の事実と意思だけを与えてデッサンしていることとも符合するものであろう。

私的所有の概念

これに対して、マルクスによれば、こうした商品占有者が共通の意思行為によって相互に相手の占有を承認し合う「意思関係」が私的所有（Privateigentum）である。

ここでマルクスは、所有は国家の制定法として法律的に（juristisch）発展していなくても、そのまま「法的関係（Rechtverhältnis）」であると言い、私的所有者を法イデオロギー的主体として位置づけて、「流通の彼岸」における事実上の取得者すなわち占有者と明確に区別している。したがって、ここにいう私的所有は、間主観的ないし規範的な正当性すなわち物神性を付与されたイデオロギーであり、すでに通常の法学的な所有権の定義が当てはまるものとなっている。一般に法的な私的所有権は次の意味で用いられる。[20]

「人の物に対する制限されない排他的な支配」（F. K. Savigny）

「所有とは、物がある人に属していることを指し示す。一つの物が法によってある人に属していることの意味は、その物のあらゆる関係において所有者の意思がその物に対し法的に決定的であ

ることである。所有権はほんらい無制限のものである」(B. Windscheid)
「所有権は、物に対し人がもち得るかぎりのもっとも包括的支配権である」(M. Wolf)
「絶対的かつ排他的なしかたで物が一人の訴権および意思の支配の下におかれる状態をつくるところの権利」(C. Aubry et C. Rau)
「排他的かつ永遠に物を利用し、また物が与え得べきあらゆる利用を物から引き出す権利」(A. Colin et H. L. Capitant)
「所有者は法令の制限内において自由にその所有物の使用、収益および処分を為す権利を有す」(日本民法典二〇六条)

すなわち「所有(Eigentum)」は、いっさいの歴史性や現実的な社会関係を捨象され、かつ、それに規定されない純粋に人と物との関係として、私的・絶対的・観念的な性質においてのみ現われる。いいかえれば、所有は、あたかもあらゆる歴史社会に共通する人間の自然に対する支配一般であるかのごとく現象するといってもよいだろう。

① 所有の私的性質とは、あらゆる他者との関係以前に、あらかじめ主体としての個人と客体としての外的自然が自存し、しかも自然的客体がこの個人の意思の支配に服属していることが自明のこととして社会的に承認されていることを意味する。

② 所有の観念的性質とは、主体による占有としての事実的支配や利用の有無と無関係に、客体物

の「価値（Wert）」に対する支配の理由付け（title）がア・プリオリに独立して存在するとみなされる権原を意味する。

③　所有の絶対的性質とは、こうした私的・観念的な所有が具体的な特定の相手に対する対人的・相対的な権利としてではなく、はじめから天下万人に対抗して主張しうる対物的・普遍的な権利として現われることを意味する。

マルクスの最大のメリットは、こうした私的所有のもつ普遍的で超歴史的な外観を、あくまでも近代資本主義の生みだす物神化された法イデオロギーであると批判的に暴露し、これを「商品交換」という特殊歴史的な関係の場面に定礎して、どこまでも人間の相互他人的な社会関係の物象化形態として解明する視点を切り開いた点にあるといえよう。このことは、いくら評価してもしすぎることはないマルクスの功績である。

しかしながら問題はこの先にある。

マルクスは、商品交換という場面に即して、この「私的所有」という法イデオロギーがいかにして成立しうるのかという存立構造の解明に必ずしも成功していない。いいかえれば、常識的な人と物の関係としての所有観念に、正当にも人と人の交換関係としての所有を対置しているにしても、こうした人と人の関係が、なぜ法イデオロギー的には人の物に対する関係として逆立ちして観念されるにいたるのかは分からないままである。このことはすなわち、近代社会において私的所有（Privateigentum）があらかじめ自存するかのように普遍的に錯認される、イデオロギー的な転倒構造の解明が欠落していることを意味する。「交換過程」では、私的所有の物神性にかんする成立の謎がいまだ未解明のままだということになろう。

こうして、私的所有という普遍的イデオロギーの謎は、ひとまず人間同士の「交換過程」を離れて、それを、商品自身に語らしめる〝商品語〟による物象化世界へと舞台を移して考察されることになる。このようなマルクスの独創的なプロブレマティクが「価値形態論」と呼ばれるロジックだったのである。

四　価値形態論における私的所有論

1　価値形態論の形成過程

マルクスの経済学研究の過程において、「交換過程」の観点はその当初から存在していた。だが、「価値形態」と呼ばれるロジックはその初期の草稿にはまったく見いだすことができない。したがって、まず、マルクスのテキストにおいて価値形態論が形成されるプロセスを簡単にたどっておかねばならない。(21)

マルクスは一八五七〜五八年に執筆された『経済学批判要綱』「序説」において、自らの経済学体系をあらゆる社会に共通の基礎となる「生産一般」から出発して展開しようとしていた。そこでは、一方において、市場における社会関係を商品貨幣ないし交換貨幣にもとづく物象的依存関係として展開する可能性を示唆してはいたが、他方においてなお、これを直接に人間の労働によって基礎づける傾向が十分に克服されているわけではなかった。それゆえ『経済学批判要綱』においては、商品の価値の表現過程そのものを問題とする価値形態論というロジックはいまだ存在していなかったのである。

しかし、こうした「生産一般」の発想は、早くも一八五九年の『経済学批判』において自己批判され、そこでは資本主義の物象性を示す「商品」を出発点にして体系を構築することが明確にされる。このテキストにおいては、価値形態というターム自体はまだ登場しないが、商品の交換価値はその商品自身の使用価値で表現できないことが鮮明にされ、「一商品の交換価値は、他の諸商品の使用価値によって自己をあらわす」という観点から、事実上の価値形態論ともいえる商品の交換価値を表現する方程式があらわれる。もっとも、この価値方程式は、「どの商品も、他のすべての商品の交換価値の共通の尺度として役立つ排他的な商品であるとともに、他方では、他のそれぞれの商品がすべての範囲でその交換価値を直接にあらわす場合の、多くの商品のうちのひとつにすぎない[22]」として、終着点へと到達しないまま中断され、諸商品の現実的関連の考察は、人間自身の意思行為による「交換過程」に委ねられることになったのである。

これに対して一八六七年の『資本論初版』においては、商品の価値の表現関係が初めて明確に「価値形態」として把握され、価値関係の方程式を、もっとも単純な形態からより展開された形態へと順次にたどる方向が示されることになる。

マルクスが価値形態論を独立に展開するようになった背景には、なにより一八六一〜六三年の『剰余価値学説史』の執筆過程において、S・ベーリーによるD・リカードウの労働価値論に対する批判に触発されたことが大きな要因になったと思われる。ベーリーは、価値という概念がなにかしらの絶対的・内在的なものを指示する実体であることを全面的に否定し、これをただ二つの対象が交換されうる商品としての相対的な関係を意味するにすぎないと言う。マルクスはこのベーリーの言説から示唆を得て、具体的な商品価値の表現形態の考察に着手したのである[23]。

だが実際に形成された『資本論初版』のテキストにおける価値形態論の特徴は、それが「本文」と「付録」でそれぞれ別様に展開され、二通り存在することであろう。

本文の価値形態では、まず「I 相対的価値の単純な形態」として「20ヤールのリンネル＝1着の上衣」という等式から開始し、次に「II 展開された形態」として、「20ヤールのリンネル＝1着の上衣、または＝10ポンドの茶、または＝40ポンドのコーヒーなど」へと等式を拡大する。そして「III 逆関係にされた第IIの形態」においてこの等式を転倒させて「1着の上衣、10ポンドの茶、40ポンドのコーヒー＝20ヤールの上衣」という等式を導き出す。マルクスはこの価値方程式について次のようにいう、

「リンネルは、最初はその価値量を一つの商品であらわすが、最後にはすべての他の商品の価値表現に役立つ。リンネルについて言えることはどの商品についても言える。リンネルの多くの簡単な価値表現から成り立つにすぎないところの、それの拡大された相対的価値表現においては、リンネルはまだ一般的等価としては出演しない。むしろここでは、各々の他の商品体がリンネルの等価を形成し、したがってリンネルと交換されるのであり、かくしてまたリンネルと位置を取り換えうる。そこでわれわれは最後に次の形態を受け取る。(24)」

こうしてマルクスは、さまざまな商品に成立する複数の「展開された価値形態」をそのまますべて逆の関係にひっくりかえして、「形態IV」を展開することになる。

20ヤールのリンネル＝1着の上衣、または＝U量のコーヒー、または＝V量の茶、または＝X量

の鉄、または＝Y量の小麦、または＝その他
1着の上衣＝20ヤールのリンネル、または＝U量のコーヒー、またはX量の鉄、またはY量の小麦、または＝その他
U量のコーヒー＝20ヤールのリンネル、または＝1着の上衣、またはV量の茶、またはX量の鉄、またはY量の小麦、または＝その他

「これらの等式の各々を逆転させれば、一般的等価としての上衣・コーヒー・茶等々が生まれるのであり、こうして、他のすべての上衣・コーヒー・茶等々での価値表現が成立する。一般的等価形態は、つねに他のすべての商品に対立して一つの商品のみが受け取る。しかしそれは、他のすべての商品に対立する各々の商品が受け取るのである。もし各商品が、それ自身の自然形態を一般的等価形態として他のすべての商品に対立させるならば、すべての商品がすべてを一般的な価値形態から排除することになり、したがってまた、それら自身をそれらの価値量の社会的に妥当な表示から排除することになる。[25]」

すなわち、『資本論初版』「本文」における価値形態論はどこまで展開しても終結せず、無数の一般的等価形態が成立してそこから現実の交換を導き出すことはできない。けっきょく商品による社会関係の解明は、『経済学批判』と同様に、これにつづく「交換過程」における人間自身の意思行為に委ねざるをえないことになる。

だが『資本論初版』には、本文と異なった価値形態論がもうひとつ「付録」として存在していることに注意しなければならない。

そこでは、価値形態論の展開が「Ⅰ 単純な価値形態」から始められ、次いで「Ⅱ 展開された価値形態」が説かれ、これを逆転させて、諸々の商品の価値形態がすべて二〇ヤールのリンネルで表現される「Ⅲ 一般的な価値形態」が構成される。そこでは、本文に見られた「形態Ⅳ」は削除され、一般的等価形態から「Ⅳ 貨幣形態」が導き出されて価値形態論は終結することになるのである。

そして一八七二年の『資本論第二版』においては、『初版』「本文」の価値形態論は完全に削除され、逆に、「付録」の価値形態論から商品相互における直接交換の論理が消極化される方向で内容の改善がはかられる。そしてこれがほぼそのまま「本文」へと組み入れられ、第一章三節という独立した位置を与えられることになる。こうして第一章の「商品論」における商品世界の存立構造の解明はこの価値形態論をもって体系化され、人間の意思行為が登場する「交換過程論」はこれと切断して第二章に分離して置かれることとなった。

その後の『資本論』各版は現行版にいたるまで、ほぼこの第二版の篇別構成を踏襲するものであるといってよいだろう。

2　現行版『資本論』における価値形態論

次に、この価値形態論の内容を具体的に見ておこう。

現行版『資本論』の第一章三節は「価値形態または交換価値」と題される。それは商品世界の現象形態そのものの解明であり、したがってまた商品が現実に通約される社会関係を可能にする貨幣の謎の暴露を目的とするものである。だが、それはまさに「これまでブルジョア経済学によってまったく試みられたことのない」ものであり、それゆえマルクス自身認めるように、『資本論』の他の箇所に類例をみない固有の難解さを有しているといわねばならない。

それはまず、第Iの「単純な個別的な、または偶然的な価値形態」として表される。

20ヤールのリンネル＝1着の上衣

マルクスは、こうした「X量の商品AはY量の商品Bに値する」という簡単な価値形態のなかに商品という形態のいっさいの秘密が隠されているという。この価値関係において、自らの価値を他の一つの商品によって表現する商品、換言すれば他の一つの商品と交換に供される商品（リンネル）は相対的価値形態の位置にあり、これに対して、リンネルの価値がその自然形態である使用価値において表現される商品（上衣）は等価形態にあるといえる。相対的価値形態のリンネルは「能動的」であり、等価形態にある上衣は「受動的」である。したがって、相対的価値形態にある商品が、同時に等価形態の役回りを引き受けることはできず、両者は相互に排除し合うが、互いに持ちつ持たれつの引き離すことのできない依存関係にあるといってよい。

それゆえ、相対的価値形態にあるリンネルは、上衣に等価の形態を与えることによってのみ自己の価値を初めて外的に表現する価値の存在形態となりうる。マルクス自身の言葉を用いれば、リンネルと上衣は共通する「価値存在（Wertsein）」によって外的・第三者的に等置されるのではない。リンネルは自らにのみ通じる〝商品語〟によって、ロマン語の動詞のように上着に「値する（valoir）」ものとして自己を定立するのである。

この結果、相対的価値形態にあるリンネルによって等置され価値を表現される上衣は、「直接的な交換可能性の形態」にあり、いつでもただちに交換されうるものとして等価形態にある。それゆえこの上衣は、ただ使用価値の一定の形態として表わされ、そこになんの量的な価値規定も含んでいない。逆に、相対的価値形態にあるリンネルは、上衣とただちに交換されえない非直接的交換可能性の形態であり、上衣の自然形態に対して一定量の価値を提供する価値の量的規定性を示すものとして現われることになる。

マルクスは以上のように、相対的価値形態と等価形態にかんする「逆関係」の不可能性を正しく指摘する。しかしながらこの「単純な価値形態」には、同時に他方で、冒頭の商品における価値実体規定をふまえた二つの商品のもつ人間労働の同質性を前提としたロジックがまとわりついているのも否定できない。

すなわちマルクスは、「リンネル二〇ヤールは上衣一着に値する」という等式は、一着の上衣に二〇ヤールのリンネルと同じ量の価値すなわち同じだけの労働が投下されていることを意味すると述べて、上衣を縫う裁縫労働を、リンネルを織る機織り労働に等置する「回り道」を経ることによって、異なった種類の労働が相互に共通な抽象的人間労働という同等の労働に「整約」されるという。これはすなわち「20ヤールのリンネル＝１着の上衣」という方程式の逆関係を承認する論理であろう。そこでは、相対的価値形態と等価形態の非対称性が消去され、まさに第三者的な「価値存在」としての人間による労働の同等性に応じて、相互に交換可能な地位に置かれることになるのである。

さて、以上の単純な価値形態においては、商品体における価値と使用価値の対立が二つの商品の関係によって表示されたにすぎない。それは、リンネルの価値を他の一切の商品との質的同一性と量的比率によって示すものではないがゆえに「不十分」であり、それはおのずからより完全な形態へと移行することになる。

これが第Ⅱの「全体的な、または拡大された価値形態」である。

20ヤールのリンネル＝１着の上衣、または＝10ポンドの茶、または＝40ポンドのコーヒー、または＝１クォーターの小麦、または＝２オンスの金、または＝1/2トンの鉄、または＝その他

この形態では、等価形態に複数の商品が置かれ、リンネルの価値が商品世界の他の無数の使用価値によって表現されるため、商品の価値はその表現する使用価値がいかなる形態であるかを問わない。ここでは単純な価値形態のような二つの商品の偶然的関係性は消滅され、これを規定する背景が明瞭にあらわれてくるとされる。マルクスはここに、価値を形成する労働が一切の他の人間労働の無差別の形態と等置される根拠をみいだし、この形態において、価値自身が初めて「無差別な人間労働の凝固物」として現出するという。

たしかにリンネル商品の価値が他のさまざまな商品の使用価値によって表現されることは、相対的価値形態が等価形態の多様性によって一般的な価値表現の形式を獲得するものではあろう。だがそれは、マルクスのいうように無差別な労働の等置によって商品相互の非直接的交換可能性を克服しうるものであろうか。じじつマルクスは、正当にも、もう一方でこの形態の欠陥を価値表現の連鎖の未完成性に求め、それは雑多な種類の価値表現の色とりどりの寄せ木細工にとどまり、商品の相対的価値形態がそれぞれ異なる無限の価値表現の序列をもつにすぎないと述べている。

では、この欠陥はどのようにしたら克服されるのであろうか。マルクスは、いともあっさりと、この等式の両辺を「逆転」すれば統一的な価値形態が得られるという。

こうして第Ⅲの「一般的価値形態」が導き出される。

1着の上衣 ＝
10ポンドの茶 ＝
40ポンドのコーヒー ＝
1クォーターの小麦 ＝ } 20ヤールのリンネル
2オンスの金 ＝
1/2トンの鉄 ＝
X量の商品Aなど ＝

この一般的価値形態においては、相対的価値形態にあるすべての商品世界の共通の仕事として等価形態がリンネルただ一つに絞られる。すべての商品の価値はリンネルによって統一的に表現され、一切の使用価値から区別される。この形態において、初めて一般的等価形態にあるリンネルは他のすべての商品と直接交換可能な地位にたつ。それはマルクスによれば、この関係こそが機織りという労働を抽象的人間労働の一般的な現象形態にしているからである。

そしてこの一般的等価形態にたつ商品の地位が歴史的・社会的に「金」に集中されたとき、直接的一般的な交換可能性は金の自然形態に独占せられ、「貨幣形態」となる。ここに「X量の商品A＝Yオンスの金」という価格形態が完成する。この貨幣を介した購買をつうじて、すなわち貨幣によって価値を実現することをつうじて、商品世界における社会関係つまり私的所有は完成することになる。(26)

以上から明らかなように、現行版『資本論』の価値形態論にはなおアンビヴァレントな二重の論理が複雑に錯綜していたといえよう。すなわちそこには、『経済学批判』から『資本論初版』『資本論第二版』にいたる過程で形成された価値形態論に固有の純粋に形態的なロジックと、古典派を継承する両商品に投下された労働価値としての量的同等性を前提としたロジックとが未分化のまま混在していた。すなわち、前者は、商品の価値形態を相対的価値形態と等価形態の「非対称性」において考察するものであり、後者は、価値形態の等式にかんして相互交換的な「逆転の関係」を認めるものであった。

そして、このマルクスにみられる論理の混乱を整理して、商品の価値形態を前者のロジックのみに一元化して再構成したものが、ほかでもない宇野弘蔵の価値形態論であったといわれている。

3　宇野弘蔵の価値形態論

宇野は、『資本論』の冒頭部分で、商品の価値実体として労働が説かれていることに疑問を投げかけ、それゆえこのことを前提にして、確定された価値実体がいかに表現されるかを追求するマルクスの価値形態論のロジックに疑問を呈する。そして、同じ『資本論』のなかに見られる商品の価値を他の商品の使用価値によって表現する形態的関係の展開のロジックこそ、価値形態論ほんらいの正当な論理であるとして肯定的に評価する。

したがって宇野理論と呼ばれる体系は、なにより『資本論』の「商品」論を、この形態的論理に純化して継承することを出発点とすることになる。その経済学の方法は、一般に、商品論から価値の実体としての労働のみならず、この実体にもとづく通約の論理である「交換過程」をも消去し、商品論を文字どおり価値形態の論理に一本化するものであるといわれる。

たしかに宇野『経済原論』は、いずれの版においても、第一章の商品論は商品の価値形態だけで考察を終えて第二章の貨幣論へと移る篇別構成になっており、『経済原論』に「交換過程論」という表題の箇所はまったく存在しない。だがこのことは、宇野が商品経済の分析にあたって「交換過程」的観点は不要であり、その経済学体系から排除すべきであると考えていたことを意味するであろうか。それはむしろ逆であろう。宇野の価値形態論は、表題としては「価値形態」であっても、内容的には著しくマルクスの「交換過程」に近似したものになっていると言わねばならない。じっさい宇野はいう、

「マルクスは交換過程で初めて所有者が出るようなことをいっているけれど……（価値形態論の）相対的価値形態にある商品には所有者がいる方がよくわかる。[27]」

すなわち宇野の価値形態論は、『資本論』のそれのような〝商品語〟で語られる商品世界ではなく、むしろマルクスの交換過程論と同じく、商品所有者が〝人間語〟で相手に交換を求めて意思行為をおこなう人間相互の関係として構成されていたといえよう。それは、一般にいわれるような、『経済学批判』から『資本論初版』『資本論第二版』にいたるマルクスの価値形態論をさらに徹底的に純化して構成されたものとは決していえない。むしろマルクスにおける価値形態論をその交換過程論と合体して折衷したものであり、マルクスの価値形態論における〝商品語〟の世界から、『経済学批判』や『資本論初版』の交換過程論における〝人間語〟の世界へと後退したものと言ってもよいのではなかろうか。

たしかに山口重克などが指摘するように、宇野『経済原論』には、一面で、あらかじめ純粋資本主義社会における貨幣によって媒介された商品世界を前提として、冒頭商品の内的な自己展開をつうじてこの世界を復元しようとする弁証法的アプローチと、他面で、人間主体としての商品所有者に即しその欲望にもとづいて、資本主義社会を発生的に編みあげていこうとする当事者の行動論的アプローチが混在しているといわれる。[28]

じじつ宇野自身の論述形式は錯綜して難渋であり、とりわけ一九五〇年の旧版『経済原論』では、ヘーゲル流の概念の演繹的自己展開としての弁証法的な体系記述のスタイルが色濃く残っているため、前者を中心とするものと見られないわけではない。だが、こと価値形態論の記述についてはむしろ後者を自覚的に採用していると思われるふしがある。このことはとりわけ一九六四年の全書版『経済原論』において、より明確に見て取ることができよう。

全書版『経済原論』ではまず、『資本論』の価値形態論の第Ⅰ形態である「20ヤールのリンネル＝1着の上衣」を独自に書き換えて、次のような「簡単なる価値形態」を立てる。

リンネル10ヤール＝5ポンドの茶

これは一見なんの変哲もない些細な修正にみえる。だがここでは、相対的価値形態において商品と数量の記述を入れ替えることで、相対的価値形態と等価形態のもつ意味の違いをきわだたせて、この方程式にたんなる数学的な等式ではない含みをもたせている。すなわちこの価値方程式は、相対的価値形態にある商品（リンネル）になにより「所有者」が存在し、この人間主体による主観的な欲望表現であることを強調する意図があったといえよう。じじつ宇野は、この等式を、「相手の商品の方の使用価値の一定量がまず決定され」「リンネルを商品として所有する者が、自分の欲する五ポンドの茶に対してならばリンネル一〇ヤールを交換してもよいという（意思）関係を表示するもの[29]」と説明している。

これは明らかに、マルクスが意図した〝商品語〟で語られる価値形態の世界ではない。それは『資本論』でいえば、「自分で市場に行くことができず、自分で自分たちを交換し合うことができない商品」に代わって「人間が、商品に欠けている商品体の具体的なものに対する感覚を自己の五感によって補い」「自分の意思をこれらの物に宿す人としておこなう意思行為」の世界、すなわち〝人間語〟で語られる交換過程の世界である。より正確にいえば、マルクス的な交換過程論に先立って、この過程を実現するにいたるための商品所有者の交換欲求のプロセスを説明するものであるといってよいだろう。

さてマルクスの『資本論』では、この価値形態の第Ⅰ形態における価値と使用価値の分離の個別的限界を指摘することによって、より完全な次の第Ⅱ形態への展開が導き出された。これに対して宇野は、「リンネルの価値はもちろん茶によって表現せられるだけではない。」「リンネルはリンネル所有者の欲するだけの商品によってその価値を相対的に表現せられる」(30)として、第Ⅱの「拡大されたる価値形態」へと移っていく。

リンネル10ヤール＝5ポンドの茶
リンネル20ヤール＝1着の上衣
リンネル40ヤール＝1トンの鉄
リンネルXヤール＝Y量のA商品

すなわち第Ⅰの「簡単なる価値形態」では、リンネル所有者の欲望が茶というただ一つの商品に向けられていたのに対して、第Ⅱの「拡大されたる価値形態」とは、文字どおりリンネル所有者の欲望が拡大してその欲望の向けられる対象が複数のあるいは無数の商品に広がっていることを意味していよう。当然ながらここまでは、交換の意思表示をする「主体」といえる人間はリンネルの所有者ただ一人だけであり、等価形態については、その所有者はおろか商品そのものもリンネル所有者の観念のなかだけにある、実在性をもたないいわば仮想的形態にすぎない。それはいまだ、商品所有主体の意識の内部における欲望の向かう方向性の記述を超えるものではないといえよう。

さて、マルクスと宇野の最大の相違点はこの第Ⅱ形態から次の第Ⅲ形態への移行の方法にあった。先にみたようにマルクスは、第Ⅱ形態の欠陥を無限の価値表現列の未完成性に求め、この第Ⅱ形態の左辺と右辺とをひっくり返して、等式の左辺に「1着の上衣・10ポンドの茶・40ポンドのコーヒーその他」を並べて、右辺に「20ヤールのリンネル」をもってきた。このいわゆる逆転の論理によって「一般的等価物」を導きだし、これを貨幣形態の基礎に位置づけたのである。これを批判して宇野はいう、

「商品の所有者は、元来、いずれも自己の商品の使用価値が、等価形態にある商品の所有者の欲するところであるか否かに関係なく、その商品の価値を相手の商品の使用価値として実現しようとする。」「また相手の商品所有者も同様に自己の商品を自己の欲する使用価値として実現しようとする。(31)」

それゆえ宇野は第Ⅱ形態においては、相互の欲望の不一致のために交換が「ますます困難とならざるを得ない」。すなわち交換過程は成立しないというのである。では、ここから宇野は第Ⅲの「一般

的価値形態」をどのようにして導きだすのか。宇野『経済原論』における一般的価値形態は次のように記述されている。

茶15ポンド＝リンネル30ヤール
上衣2着　＝リンネル40ヤール
鉄30トン　＝リンネル120ヤール
A商品X量＝リンネルYヤール

　ここでは、いままで左辺の相対的価値形態にあったリンネルが右辺の等価形態の位置に置かれている。このため、一見するとマルクスと同様に、宇野も左辺と右辺を入れ替えたようにもみえる。だが、両辺の商品の数量が変えられており、とりわけ等価形態のリンネルの商品名と数量の位置が入れ替えられていることから、決してマルクスのような「逆転の論理」が使われていないことが理解できるであろう。すなわちこの形態は、あくまでも左辺と右辺の性格が根本的に異なることをふまえて、いわゆる「逆転の論理」ではなく、「あらゆる商品の拡大された価値形態においてつねにその等価形態におかれる商品の出現」をもって展開されているのである。
　すなわち第Ⅱ形態までは、商品リンネルの所有者の直接的欲望と主観的意識にのみ内在して構成された観念的世界であったのに対して、ここで初めて、複数の主体（商品所有者）が登場するといってよい。しかも宇野によれば、これら「茶、上衣、鉄、その他リンネル以外のあらゆる商品所有者は、その価値表現にあたって、自己の欲するリンネルの一定量という関係からある程度解放され」「あらゆる商品と交換されうるリンネルに対してならば商品として譲渡してもよいと考える[32]」ようになるというのである。こうしてリンネルという一般的等価物が成立することになる。そしてこの一般的等価物が、商品の所有者による個人的な欲望の制約から解放された形態こそ貨幣形態である。すなわち、商品所有者は貨幣を介して初めて現実に交換を実現することになるのである。

この第Ⅲ形態の展開の仕方は、たとえば山口重克の『経済原論講義』などによっていっそう自覚的になるといえよう。それはすなわち、宇野に潜在的にみられた複数の第Ⅱ形態を明示的に設定するという方式である。

山口はその価値形態の第Ⅱ形態において、等価形態のなかに茶をふくむリンネル・上衣・鉄・塩の各所有者からなるグループと、茶を等価物としないコーヒー・石炭の各所有者のグループを設定する。そして、後者のグループからは、茶を飲み物（使用価値的有用性）として欲しないにもかかわらず、茶を媒介にして交換を実現しようとする意思行為が現われ、前者のグループからは、飲み物としての有用性に加えて直接的交換可能性という追加的な有用性が欲せられる例が導き出される。

これはまさに、リンネル商品の所有主体による直接的な欲望表現行動が、他の商品所有者の欲望表現行動を学習することを媒介にして変容することを示し、その媒介化され間接化された欲望行動の結果として一般的等価物を導き出すものであるといえよう。じっさい山口らは、宇野の価値形態論そのものを自覚的に当事者の主観的行動論に読み替えて、その欲望の充足に向けた人間の先慮的行動がいかにして流通世界を形成するにいたるかという、人間主体の行動にもとづく機構編成論を提起する。

そして宇野にみられた「同質性」としての価値概念を、他の任意の商品と交換せられるべき「交換性」という概念に組み替えるべきことを提案する。

さらにまた、こうした方法は小幡道昭において極限にまで発展させられることになる。小幡は、マルクスや宇野そして山口にも残る「価値形態」というタームそのものをも放棄し、これを「交換を求める諸形態の展開」と名づけて、人間の主観的交換欲求だけに即して現実の「交換」の実現プロセスをたどることになるのである。[33]

以上から、宇野および宇野学派の価値形態論は、一般にいわれる「価値形態論の純化」という評価とは異なり、実際にはマルクスの「価値形態」から「交換過程」へと後退することによって形成されたものであり、あらかじめ商品所有者という交換の主体を自存的に同定し、しかるのちこうした「主体」がいかにして「社会関係」に入るのかという、人間主体を中心に置いてその意思行為から社会形成のプロセスをたどるロジックであったと結論づけることができるであろう。

五　私的所有論の再構成

1　宇野の価値形態論への疑問

私たちはここで、これまで宇野学派の誰もがほとんど問題にもせず、自明のこととして採用してきた商品論の「公理」そのものを疑わなければならないことになる。

すなわち、宇野理論の白眉というべき商品論における価値実体論を否定してこれを形態的に純化するというロジックは言うまでもなく正当である。だがそれにしても、このことと、商品に「所有者」を導入してその主観的欲望に即して論理を展開することとは、本当に宇野自身が言うほどに同義的なのであろうか。宇野の価値形態論にとって商品の所有主体は本当に必要不可欠の存在なのであろうか、という疑問である。言い方を換えれば、宇野が価値形態論の両辺を労働によって第三者的に等値する「価値存在」を排除し価値式における両辺の逆転の可能性を否定した画期的展開が、そのまま商品に「所有者」を導入することにストレートに結びつくものであろうか、と問うてもよいだろう。

じつは、これは一般に考えられているほど自明のことではないように思われる。以下、順を追って疑問点を述べたい。

所有者と占有者の訳語的問題点

第一に、宇野がマルクスの交換過程論から自身の価値形態論へと採り入れた「商品の所有者」なるものは、先に「交換過程論」の検討によって示したように、Eigentümer（所有者）ではなくBesitzer（占有者）というべきものだったことである。そこでは、彼はどのようにして商品を取得するに至り、なぜいまその地位にあるのか。彼はいったい何者なのか、いかなる私的個人あるいは団体であるのかなど、主体としての根拠も性格もまったく不明のままである。ここではただ、現実に物を支配しているという事実以外はすべてカッコに入れられている。彼は、きわめて消極的で限定的な商品の番人であり、商品の形式的担い手を超えるものではありえないのである。

なるほどマルクスのいうように、商品自体には、感覚も意思もなく手足ももたないのであるから、その運動は現実には背後にいる人間が補わなければならないのは確かであろう。また、共同体や何らかの共同所有の社会内部では財貨は商品という形態をとらないのは当然であるから、商品が他の商品と相対する関係は一定の相互他人的な関係に規定されているのは言うまでもないことであろう。だがこのことと、相対的価値形態の商品だけに、法的に正当性をもった積極的な「所有者」が必要であるということとは必ずしも同義ではない。それは根本的に位相の異なることがらである。

がんらい商品という形態は、マルクスが正当に指摘するように「生まれながらの平等派であり犬儒派(34)」であるところにその最大の特徴がある。少なくとも流通の場面では、売り手（相対的価値形態）が誰であろうと、そのことによって買い手（等価形態）は商品そのものを一切差別したりしない。すなわち市場においては、取引相手としての「主体」は誰でも一向にかまわないのである。それゆえどの国の民法においても、少なくとも動産商品について公信の原則が保障され、たとえ正当な「所有」の権原のない者から商品を入手しても、その譲渡を受けた者については所有権の即時取得が認められることになる。

まさに中野正が指摘したように、商品占有者（Warenbesitzer）は、いかなる意味においても商品の交換・流通の契機をなすものではない。逆に、この本源的な持ち手にまったく無関心で彼岸的なまま、ゆいいつ、商品交換ないし流通という関係それ自体が事後的に私的所有者（Privateigentümer）という「主体」を設定していくというべきであろう。すなわち商品経済的連関が所有を構成するのであって、決してその逆ではありえないのである。

このWarenbesitzerを宇野のように「商品所有者」と呼ぶべきでないことについては、わずかに鎌倉孝夫や平林千牧の原理論において訳語にいくらか配慮が見られるが、これまでのところ、その意義についてはほとんど検討されていないのが実情である[35]。

所有者の欲望の問題点

それゆえ第二に、宇野および宇野学派の多くの理論家が、商品に所有者（正確には占有者）を想定するのは、たんにこうした流通にとっての形態的要請にとどまらず、よりポジティヴな意味が付与されていると考えねばならないだろう。すなわちほとんどの論者は、これを、価値形態の方程式における左辺と右辺の性格の違いを明らかにするための必然的要請であると見なしているように思われる。じっさい久留間鮫造と宇野弘蔵の論争以来ほとんどの宇野学派のテキストにおいては、リンネルという相対的価値形態の商品に「所有者の欲望」を導入しなければ、たとえば上衣という使用価値をなぜ等価形態に置くべきなのかという理由が明らかにならないという見解が、なんの検証もないまま当然のこととして主張されてきた。だがはたして本当にそのように言えるのであろうか。

この点について、宇野の影響下においてわずかに鈴木鴻一郎の異論があることを指摘しておきたい。鈴木は、商品論のレヴェルでは価値はただ商品相互の同質性として理解されるだけであることを強調し、それが関連しようとする相手の商品が何であるかは問題にならないと主張する。たとえば先の第Ｉ形態において上衣が等価形態に置かれたのは、リンネル所有者が多くの商品のなかから上衣を選択的に欲望したからというよりも、むしろ偶然のなりゆきの結果と解すべきであるとして、彼は、等価形態の商品の決定にさいして相対的価値形態に「商品所有者の欲望」を持ち出すことに疑問を呈する。

鈴木は、このことの論拠として、『資本論』の価値形態論における第Ｉ形態の表題が「単純な、個別的・偶然的な価値形態」と題されていることをあげる。そしてこの「偶然的」ということが、初版「付録」の価値形態論では、「簡単な価値形態は、一商品の価値が、ただ一つの——しかしそれはいかなるものであっても差し支えないが——他の種類の商品によって表現されることを条件とする」と説明され、また現行版では、「単純な価値形態においては、一商品の価値は、なるほど他の種類のただ一つの商品によって表現される。だが、この第二の商品がいかなる種類のものであるか、それが上衣であるか鉄であるか小麦等々であるかということは、まったくどうでもよいことである」と述べられているというのである。

それゆえ、宇野のように「リンネル所有者の欲望」を持ち出すと、多くの商品のなかからたまたま上衣を取り上げることに選好の余地が入り込んでしまい、マルクスのいう「偶然的」の規定が十分に評価されないことになる。こうして鈴木は、同質性としての価値として規定される商品にとって、関連しようとする等価形態の商品は相対的価値形態と使用価値を異にするものであれば何でもよいのであり、そこでは所有者の欲望は問題にならないと結論づけるのである。(36)

さらに、これをふまえて侘美光彦は、宇野が相対的価値形態の商品について「所有者の欲望」を想定したのは、相対的価値形態と等価形態の商品が相互に取り替えを許さないことを明確にするための一種のレトリックにすぎないと言う。

すなわち、あらかじめ価値実体を前提とすることなく、しかも等価形態の側に「受動性」「観念性」および「直接的交換可能性」の諸規定が明瞭に表現されさえすれば、価値形態論において商品所有者が前提されるかどうかはたんなる形式上の問題にすぎないと斥けられる。そして、『資本論』における商品所有者という概念は具体的な欲望の主体を意味するのではなく、あくまでも「経済的諸関係の人格化」として設定されているだけであり、また所有者のいない商品など現実には存在するはずがないのであるから、商品所有者の有無それ自体は価値形態論の展開にとってまったく重要な課題たりえないと断ずるのである。(37)ほぼ首肯しうる見解であろう。

以上から、商品論の理解にとって、価値実体を前提とせず価値を形態的関係のロジックに純化するということと、商品に「所有者の欲望」を導入するということとは、必然的・絶対的な関連があるわけではなく、両者は同じではない。いまや前者にとって必ずしも後者は必要条件ではないことが確認できるように思われる。価値形態論においては、相対的価値形態と等価形態という両項の差異性と非対称性、換言すれば価値と使用価値が両者に分離される関係性こそが最も重要なテーマであり、この両辺の相対抗する関係さえ明確にしておけば、「所有者」そのものは積極的意味をもたず、むしろ場合によっては関係性の理解にとって余計な誤解を与え有害であるとさえいえよう。

じじつ宇野の旧版『経済原論』における価値形態論には、商品所有者の欲望なるものを必ずしも積極的に媒介とせず、正当にも「商品の同質性は他の商品によらなければ表現されない」という関係概念としての商品価値に即した論理展開が含まれていた。宇野は、その第Ⅰ形態において次のように述べる、

「リンネルはその使用価値を全く異にする茶をもってその価値を表現される。リンネルの価値はリンネルによって表現することはできない。」

「商品の価値は、異なれる二つのものに共通なものとしてあるには相違ないのであるが、ここではそれがリンネルも価値としては茶に等しいという形で表されているにすぎない。それはなお何人にも認められ得るというような客観的な形態になっていない。(38)」

ここでは差異的関係としての価値そのものを根拠にして形態の展開が進められている。いまだ弁証法的論理の名残がみられるとはいえ、構造的で重層的なロジックが採用されているとみるべきであろう。それはどこまでも、商品価値の相補的関係を念頭においた商品世界の構造分析だったのである。

これに対して全書版『経済原論』においては、逆に、商品の所有者を主体とするロジックが積極的

に導入され、主体の欲望による主観的価値表現が全面的に強調されることになる。そこでは、商品の価値とは、たんに「商品がその所有者にとって、その幾何かによって、他の任意の商品の一定量と交換せられるべきもの[39]」を意味するものとされる。宇野はいう、

「簡単な価値形態でも一方(相対的価値形態)に所有者を認めて、他方(等価形態)に特定の所有者をあげない方がよい。」

「等価形態にある上衣は、まだ現物としても現れていない。」

「等価形態にある商品は観念的にある。[40]」

ここでは、旧版にみられた商品相互の非対称的な差異的関係としての価値概念が否定され、価値は、いわば商品所有者の意識に内在する観念的・主観的表象に解消されてしまったといってよいだろう。いいかえれば、主体としての商品所有者なるものの自存性がまず前提とされ、商品の価値は、この主体の純粋意識に内在する他の商品と交換されるべきものという単なる主観的観念にすぎないものとみなされてしまうのである。それは、まさに超越論的主体としての人間(商品所有者)が主観的・内在的な意識によって他の商品価値を構成する一種の効用価値説である。

このように宇野の価値形態論を理解すれば、そこに見られるのはまさに、人間意識の表象作用によって世界に対する欲求ないし欲望を内在的に構成していく「自我」中心主義に立った近代哲学のプロブレマティクそのものであるということができよう。

人間主体論の哲学思想的問題点

こうして第三の問題点として、宇野の説く「商品所有者」はたんなる経済学の方法論を超えた、より大きな哲学的ないし社会思想史的な問題をはらむことにもなる。

先に見たように、宇野における第Ⅰの「簡単なる価値形態」は、商品の所有主体の主観的意識による欲望の内的表現行為であった。そこでは、等価形態の商品やその所有者はなんら実在性を前提としない「主体」の内部にある観念的表象でいっこうにかまわなかった。

たとえて言えば、宇野の価値形態は、R・デカルト流に物質性から独立した「思惟する主体(res-cogitans)」としての自我の純粋精神の発現と考えることができるかもしれない。あるいはそれは、I・カントのように、客観的実在としての「物自体」にいたることを不可知のものとして放棄し、それを人間の主観の形式によって構成された意識現象としてのみ理解する超越論的観念論との共通性を認めることができるかもしれない。

そして宇野のこうした論理構成を突き詰めていけば、それはおそらく、客観的世界の存在というドクサそのものを疑ってエポケーし、あくまでも主体の純粋意識に還元してひたすら超越論的主観の志向性のみに内在してこれを構成していく、E・フッサール式の現象学に著しく近づいていくのは避けられないであろう。そこにおいて価値とはまさに、知覚や記憶を素材にして志向的な意味統一によってひとつの対象存在を構成していくノエシス(意識作用)であり、等価形態とは、こうして純粋意識の内部に構成されたノエマ(意識表象)の別名にすぎないのである。(41)

じっさい第Ⅱの「拡大されたる価値形態」は、こうした独我論的な「主体」の主観的意識志向(欲望）の拡大にもとづくものとして理解することが十分に可能である。ここではいまだ、等価形態に置かれる複数の商品は、すべて、こうした超越論的主体が構成する意識表象の内部にとどまっているとみなしてよいだろう。

だが、これに対して第Ⅲの「一般的価値形態」においては、事態は根本的に異なっている。

そこではなにより、他の複数の商品所有者を自己と同型の主体として認知しなければならない。そして他者の欲望の存在を確認することによって自己意識の志向性との共通性を自覚し、そうすることによってのみ、初めてこの主体は一般的等価を意識的志向に登場させることが可能となる。ここにようやく複数の主体による共通の意思行為が現出するとされるのである。

それは哲学的にいえば、まさに現象学にみられる他我理解を介した間主観的世界の構成という難問そのものである。フッサールにおいては、超越論的自我がまず主観的意識によって世界というドクサを構成するものとされ、次いで自己が他者へ感情を移入することによって、他者が自己と同様の身体を持ちそれゆえ同様の主観を持つことが明証される。そしてそれによって、他者もまた自己と同様に世界を認識しているという推測がなされることになる。そして、こうした他我の主観の構成を通じて、同時に、自己が他者と共有する間主観的世界、すなわち「世界」に対する自己と他者の共属的同一性というドグサそのものを導き出す論理が構成可能になるとされる。それはなるほど、宇野がその価値形態論において一般的等価としての貨幣を導きだしたロジックとよく似ているように思われる。

しかしながら、いうまでもなく、独我論的な超越論的主観性の世界から出発して、はたして本当に、自己と他者の間主観的な共属世界を構成することが可能なのかという根本問題は、フッサール現象学にとっての最大のアポリアであった。周知のように、フッサールが『デカルト的省察』において試みた間主観的還元による他我主観の妥当性の明証は、十分に成功しているとは言い難いものである[42]。そしてこの限界は、デカルトもカントも「超越論的主体」から出発するあらゆる近代のロジックに等しく当てはまるだろう。

こんにちマルクスに評価すべき何らかの可能性があるとすれば、それは、こうした主体としての「人間」を体系の出発点に置くロジックを徹底的に峻拒し、まったく逆に、それが現実の社会関係としての構造連関のなかから形成されたひとつの結果でしかないことを明らかにした点にあろう。マルクスは、Cl・レヴィ－ストロースの無意識の深層構造論やF・ド・ソシュールの言語の恣意的体系論に先立って、近代主義的な「主体」の哲学としてのヒューマニズムを完膚なきまでに斥け、人間を主体とする近代の論理が結果と原因を取り違えたひとつのイデオロギー的錯視であることを徹底的に暴き出したのである。

注意すべきは、『資本論』における価値形態論というロジックは、なによりも、マルクスがS・ベーリーのD・リカードウ批判に触発され、リカードウ流の個々の商品に内在的で絶対的な価値なるものを否定する論理として構想されたものである点であろう。それはいわば、I・ニュートンの絶対空間を批判してA・アインシュタインが提起した相対性理論の位置にある価値論であるともいえるかもしれない。

宇野弘蔵は、たしかにリカードウ流の内在的価値論を商品所有者の主観的価値論によって批判したが、それは、せっかく商品から「労働の主体」としての人間を削除しながら、代わりに「所有の主体」

としての人間なるものを超越論的に前提としてしまうことで、自らの方法の画期的意義を大きく損なってしまうものであった。その結果、商品に対する貨幣（等価形態）の外部性ないし他者性が適切に位置づけられず、貨幣もまた、商品所有者の意識の内部に閉じ込められ、けっきょくその外部に現出することはできなかったのである。

それゆえ私たちは、ベーリーにならって商品に内在的な価値実体なるものを批判するが、価値の相対性や主観性を強調するだけの唯名論的価値論に満足するわけにもいかないことになる。むしろこうした相対的な価値関係が、逆になぜ商品に内属的な価値という観念を生み出すのかを問題としなければならない。宇野の価値論はたしかに、リカードウ的な体化労働価値論とベーリー的な価値相対性論とを両面批判するマルクスの方法を正当に継承する一面をもっていた。だが、それは他面において、等価形態の現実性を消去してこれを主体の観念に解消することで、相対的価値形態と等価形態との相補性・対抗性を否定し、貨幣の外部的な実在性を解明することに失敗してしまった。それはやはり、いまだ関係概念としての価値が正当に位置づけられなかった結果であると言わねばならない。

かつて河野健二らによって、いみじくも宇野の原理論とアルチュセールの構造主義とがその論理体系において相同性をもつことが指摘されたことがあった。(43)だが、宇野理論は、まさに価値形態論の前提に人間主義的な主体（主観）を置いているという決定的な一点において、構造主義としてはなお不徹底な面を残していたといわねばならないだろう。

人間という主体によって交換が行われるというマルクスの「交換過程論」における錯認は、宇野のように商品の価値形態を「所有者」の欲望や行動から説明することによってではなく、逆に、商品の価値形態それ自体が「所有者」というイデオロギーをつくりだしていくプロセスによってこそ十全に批判しうる。すなわち、なんらの人間の欲望や本性なるものを前提とすることなく、逆に、この「私的所有者」という人間がどのようにして構成されるのかという「主体」の存立構造の解明こそが、価値形態論というプロブレマティクなのである。

こうして、マルクスの最良の成果に即して、あらためて宇野の価値形態論を読みなおし、これを、私的所有の論理的構成過程として再編成することが次の課題となる。

2　所有論としての価値形態論

商品はなにより売られるべきものであり、それゆえそれは他の商品との同質性においてのみ商品でありうる。この商品相互の同質的関係性がまず価値と呼ばれる。だが商品はたんに価値であるのみならず、同時に他の商品との差異性のなかでしか存立しえない。いうまでもなく、こうした商品の他の商品と区別される差異的関係性が使用価値と呼ばれる。それゆえ商品とは、価値としての同質性をその使用価値としての差異性によって制約されたものであり、はじめから外部との関係概念として構成されねばならない。そのためマルクスは「交換過程」において、商品のこうした同質的でかつ差異的な関係性すなわち相互他人性のシンボルとして、個々の商品にひとまず事実上の占有者（Besitzer）を置いたのである。

だが商品は、まさにその価値としての同質性を使用価値としての差異性によって制約されているために、個々の商品はそのままでは相互的に「通約」されえない。それゆえ個々の商品の他の商品に対する関係は、自らの同質性としての価値を他の商品における差異性としての使用価値によって表現する「回り道」を経るしかない。こうした価値の表現形態のプロセスを介して、はじめて商品はその使用価値による差異性を解除し、他のすべての商品との同質性を個々の商品のうちに実現していくことが可能になる。(44)そしてこれによって、個々の商品があたかもそれ自体で自存し、「価値」なるものが商品に初めから内在的な属性であるかのように観念されることになるのである。

こうした労働投下による価値なるものが内属する〝単体〟として、「商品」を人格化してイデオロギー的に表現したものが、まさに〝私的所有者(Privateigentümer)〟という抽象的・観念的な人間のカテゴリーであるといってよいだろう。マルクスが正当にも指摘するように、「民衆の先入見としての人間の平等という強固な観念は、……価値表現の秘密がその謎を解かれるとき(45)」、初めてその根拠を完全に暴露されるのである。

私的所有論とは、こうした商品世界における関係性の累積プロセスそのものであり、したがってそれは、商品の所有主体による主観的表象世界の記述でもなければ、いわゆる弁証法的な概念の内在的発生や範疇の自己展開の記述でもありえない。それはまさに、完成した資本主義からの論理的抽象力によって導き出された、価値関係の深層における共時的で間主観的な存在構造の解明というべきものなのである。

簡単な価値形態の再構成

商品の価値形態は、さしあたりAという商品の他の一商品Bに対する関係、たとえばリンネル商品による上衣という商品に対する関係として考察される。これがいわゆる第Iの「簡単な価値形態」である。まずこの形態の構造論的な読み直しを試みてみよう。

A商品X量＝Y量のB商品（リンネル20ヤール＝1着の上衣）

ここではなにより、「リンネル二〇ヤールはリンネル二〇ヤールに値する」というように自分の価値を自分自身で自存的に表示することはできない。いいかえれば商品は単体では商品たりえないという、いっけん当たり前のことがまずもって確認されなければならない。

まさに、人間は鏡をもって生まれてくるのでもなければ、私は私であるというフィヒテ流の哲学者として生まれてくるのでもない。ペテロはパウロとの相同的関係においてしか自己の存在を確証しえないのである。すなわちA商品たとえばリンネルは、自己に外的な、使用価値を異にするB商品たとえば上衣を自己の等価とするという回り道を経ることで、はじめてその一定量の価値を相対的に表現することが可能になる。この関係が成立するとき、リンネルは自己の価値を表現する項（相対的価値形態）にあり、上衣はその使用価値のままでリンネルの価値を表現される項（等価形態）にあることになる。

それゆえ価値形態の方程式は、リンネルと上衣という具体的な二つの商品の等式ではなく、あくまで商品名を従属変数とする一種の函数式と考えなければならないだろう。

すなわちこの式のなかで、たとえば相対的価値形態にたつ左辺のリンネル二〇ヤールは、その価値を右辺の一着の上衣に等しいものとして等値することで、上衣との同質的関係性を示し、自己の価値を自己の使用価値から区別する。その使用価値は、自己に外的な他者のための使用価値としてあらわれることで、リンネルにとって消極化される。これに対して等価形態にたつ右辺の上衣は、その使用価値が左辺のリンネルの価値を表示される関係に置かれることで、使用価値のままでリンネルとの同質的関係性すなわち直接的交換可能性を付与されることになる。

左辺のリンネルは、自己の価値を積極的に表現するという意味において能動的関係性の形態であるが、それは直接的に交換を実現できないという意味では受動的関係性の形態である。逆に、右辺の上衣は、その使用価値がリンネルの価値を表現されるという意味でリンネルに対して受動的関係性にあるが、そのままでリンネルとの直接的交換が実現可能であるという意味において能動的関係性の形態にある。

すなわち、あらゆる商品は、抽象的には価値と使用価値の二要因をもつといってよいが、それが具体的に商品であるためには、対極的な外部との関係性、すなわち非対称的で排他的な関係式の場面において存在するしかない。つまり、相対的価値形態にある商品は、自己に外的な等価形態によって反照されて初めて商品たりうるのであり、相手方の実在性なしに単独で存在することはできない。こうして商品は、一様な存在形式ではありえず、相対的価値形態と等価形態という二項に分裂し、しかも互いに牽引しあいながら反発しあう相互に不可分の関係概念に置かれていることを端的に示していよう。まさに「簡単な価値形態」とは、相異なる二項をもった関係式そのものでなければならないのである。[46]

それは決して宇野のいうような、相対的価値形態の側の商品のみに一方的実在性を認め、等価形態は、この所有者の意識の中にある観念的表象であるというのではない。むしろこの形態においてリンネルと上衣は、いわばレゾンデートルのないままにたまたま差異的位置に置かれているだけであり、両項の関係は、リンネルの価値が上衣によって偶然的かつ個別的に表現されているにすぎないことになる。

それはちょうど言語という記号（signe）が、つねに表現面と内容面の両項をあわせもつことに似ている。ソシュールによれば、音声の聴覚的映像により構成される表現面がシニフィアンであり、言語記号が含みもつ概念としての内容面がシニフィエと呼ばれる。商品の価値形態における相対的価値形態（表現するもの）と等価形態（表現されるもの）の関係は、まさにこのシニフィアン（意味するもの）とシニフィエ（意味されるもの）の関係と同じく、相互に不分離で強固な関係であると同時に自然的紐帯を欠く不安定で偶然的で恣意性をもつものであるといわねばならないだろう。[47]

それゆえこうした商品は、自己の価値をその使用価値から完全に分離して表現することはできない。このような「交換」に提供することができない商品の事実的担い手が、先にみたように「占有者」としてあらわされることになる。彼は商品の同質性と差異性を人格的に体現する者として、まさに形式的に平等ではあるが、実質的にはつねに差別主義者であらざるをえないのである。

拡大された価値形態の再構成

こうした相異なる両項をもつ商品の函数式は、等価形態に複数の商品が置かれる価値形態によっていっそう明瞭になる。これが第Ⅱの「拡大された価値形態」である。

リンネル20ヤール＝1着の上衣
リンネル10ヤール＝5ポンドの茶
リンネル40ヤール＝1トンの鉄
リンネルXヤール＝Y量のB商品

ここでは左辺のリンネル商品の価値がその他のさまざまの物の一定量によって表現される。右辺の等価形態に上衣・茶・鉄など多数の使用価値が置かれることによって、商品の差異的な関係性がいっそう鮮明になり、リンネルの価値なるものが文字どおり相対的価値として表現される同質性を意味するにすぎないことが明らかになろう。しかもこの拡大された形態においては、一着の上衣・五ポンドの茶・一トンの鉄というように、他の商品と区別されるそれぞれの使用価値が一定量の形式をとって等価形態に置かれるのであるから、リンネルの価値はこれらに反照的に規定され自己の特定量と結びつかざるをえないことになる。こうして相対的価値形態と等価形態の非対称的で相補的な関係が、商品の価値と使用価値の両項的構造に分立することが明らかになる。

だがそれは同時に、他のそれぞれの商品も自己を相対的価値形態として、その他の商品群を恣意的・

偶然的に等価形態に置くことを妨げるものではない。それゆえこの形態は、たしかに両項の偶然性を希釈するものではあるが、これを完全に消去するわけではない。すなわちあらゆる商品にとって、使用価値としての差異性との反照において価値としての同質的関係性を表現するものではありえないのである。それゆえ、ここでもいまだ商品に「所有者」は認知されない。

一般的価値形態の再構成

これに対して次に登場する価値形態は、その価値としての関係性がこれまでとは根本的に異なっている。すなわち、多くの商品が自己を相対的価値形態に置いてそれぞれ拡大された価値形態を構成するとき、それぞれの等価形態の商品のなかに共通に等しく含まれるものが現れる。したがってすべての商品がその価値を一つの共通する使用価値によって表現することが可能になるのである。これが第Ⅲの「一般的価値形態」である。

リンネル10ヤール＝５ポンドの茶
上衣２着　　　　＝20ポンドの茶
鉄３トン　　　　＝60ポンドの茶
A商品X量　　　＝Yポンドの茶

留意すべきは、これは決して商品から貨幣への転化や分化発生、すなわち貨幣の生成論や起源論を問うものでないことであろう。それはちょうど先の商品論が、けっして単体的な価値の成立根拠を問うものでなく、はじめから関係性としての共時的構造において存在していたのと同様である。ここでも私たちは、弁証法的生成論という誘惑の罠を注意深く回避して、この価値形態の存立構造そのものに焦点を絞らなければならない。

すなわちこの形態においては、リンネル・上衣・鉄その他の商品がその価値を茶というひとつの商品の量的規定性によって表現している。ここでは、茶という商品の使用価値は、もはや単なる飲み物としての具体的使用価値でありえず、形式的かつ一般的な使用価値としてあらわれるのであり、すべての商品は自己の価値を茶という一般的使用価値によって表現しているといえよう。つまり、こうした一般的等価物を外部にもつことで、すべての商品が、はじめて他のあらゆる商品と同質的関係性をもつ価値として登場することができるのである。そこではすべての商品は質的にはなんの違いもない単なる量的差異性としてあらわれ、個々の商品は、他のいかなる商品とも区別される使用価値としては、ただ一般的等価物としての茶によって交換を実現されるかぎりでの使用価値ということになる。

こうして一般的等価物としての茶は、商品世界そのものの外部にあって、あらゆる商品がその価値を表現する対象となり、それゆえあらゆる商品の価値を表現されるものとなる。そしてこれによってのみ、茶は、すべての商品に対して直接的交換可能性の形態を獲得するようにみえる。茶は、あらゆる商品の等価形態となることで、あらゆる商品に対して直接に交換可能な位置に置かれるからである。

だが、たとえばこの茶という一般的等価物は、それが茶であるかぎりは茶としてもつ使用価値性を完全には除去したとはいえない。いわばこの飲み物という使用価値の側面を完全に払拭した価値形態が、最後の「貨幣形態」なのである。

私的所有の存立根拠

貨幣形態は、先の一般的価値形態と基本的にはなんら異なるところがない。

この形態では、あらゆる商品がその価値を等しく金によって表現する。しかもこの価値表現においては、商品のある量の価値を他の商品（金）の一定量で表示するのではなく、すべての商品がその一単位あたりの価値を金のさまざまな量によって表示する。

A商品1単位＝金Xオンス

だがここでも、一般的等価物がどのようにして金に帰着するのかという、歴史的起源論や発生論は問うべきではないだろう。一般には、金が貨幣になる理由として金のもつ均質性や耐久性、直接的消費から遠い奢侈性などが列挙され、もっともらしい歴史的必然性論が展開されることが多い。だが、それはどうでもよいことであろう。

貨幣形態において重要なことは、金はいかなる使用価値をも持たない唯一の直接的交換可能性の形態として、商品世界の外部に存在するということだけである。すなわち、商品のもつ使用価値と価値の二つの要因は、商品と貨幣の分極関係のなかに構造化されて初めて現実的な存在となる。ここでは、すべての商品がその価値を単位量ごとに金によって表示することで、個々の商品はひとまず特定の使用価値物として現われ、この反照関係として、金こそは、まばゆい光を放つその神秘的性格において、まるで初めから内在的・自存的に価値をもつ唯一の「所有物」であったかのごとく幻想されるのである。

こうしてすべての商品は、金貨幣によって価格という形態を与えられる。ここで私たちはようやく、商品世界を〝人間語〟に翻訳して語ることが可能になろう。なぜなら金だけは、その価値物としての存在がそのまま使用価値であるため、所有を離れた占有はありえない。つまり、貨幣の「占有」には常に「所有権」が付きまとって現われるのである。それゆえ貨幣の占有者はそのままで私的所有者となる。この所有者が貨幣を購買手段として出動させることによって、多様な使用価値として「占有」されていたすべての商品に、初めて同質的な価値としての「所有権」が承認される。すなわち、一切の商品は、使用価値による制約から自由になり、同型の平等な「人格」による抽象的な「所有権」の対象として法イデオロギー世界を編成することになるのである。

それゆえマルクスが「交換過程論」で述べた、「商品の占有者（Warenbesitzer）が互いに私的所有者（Privateigentümer）として認め合う」意思関係なるものは、現実には、こうした貨幣による商品の購買という経済関係を〝人間語〟に言い換えた「物象的関係の人格的表現」であるといわねばならない。先にみたように、商品の価値形態に先立って人間はいかなる意味でも社会関係の「主体」ではなかった。商品に事実として前提（voraussetzen）されていた「占有者」は、いま貨幣所有者に買われる行為によって、ようやく現実に商品の「私的所有者」として措定（setzen）されたのである。しかもこの所有権は、その背後にあった人と人の購買関係を「契約による債権」として分離することで、みずからを、人の物に対する私的・観念的・絶対的な支配の権原（物権）という普遍的形式で定立することになる。

すなわち私的所有者は、あくまでも私的な主体のままで客体としての商品を自己の意思に正当に服属させることができる。そして第二に、彼は占有の事実と無関係に客体物の価値を観念的に支配することができる。さらに第三に、彼はこうした商品に対する支配の正当性をあらゆる第三者に対抗して絶対的に主張することができることになる。

私たちは、「所有者」を前提とする価値形態論を、まったく逆に、価値形態論の展開による「私的所有者」の措定として転倒して構成しなおした。こうして、資本主義を支える商品経済の深層構造を可視化することによって、「私的所有」のフェティシズム、いいかえれば自由で平等な人間というイデオロギー的主体の謎を根底から暴露することができたのである。

おわりに　私的所有の物神性

ここでは、『資本論』の「交換過程論」の論理を「価値形態論」によって批判的に再構成することで、商品世界における「私的所有」の存立構造を明らかにしてきた。

もちろん私的所有は、貨幣によるたんなる商品の購買だけで完結するものではない。それは、資本として流通過程G—W—G'を編成し、貨幣による労働力という商品の購買によって完成する。これにより、流通があらゆる社会に共通の生産過程…P…を包むことで「私的所有」は全社会的に確立することになる。なぜなら、流通（所有）が生産（労働）を包摂するとき、個々人の意識においては、あたかも人間の労働そのものが所有を生むかのように逆立ちして観念されるからである。

したがって、資本主義における私的所有は、マルクスが『資本論』第一巻二三章「資本の蓄積過程」で述べたような「自己の労働にもとづく所有が不払い労働の領有に転回する」(48)ものでは決してありえない。まったく逆に、「自己の労働にもとづく所有」は、労働力の商品化を基礎にした資本主義的生産様式上に、初めて十全に完成をみる法イデオロギーである。ここに、マルクスが『資本論』の冒頭で、スミスやリカードウから受け継いだ商品の価値を人間労働の投下に求め、したがってロックから継承した私的所有権の根拠を自己の労働の結晶に求めるヒューマニズム・イデオロギーが、いかに倒錯的なものであったかが完全に明らかになるであろう。

最後に、私たちは今いちど、かつて一世を風靡した西欧マルクス主義と呼ばれる思想潮流を思い起こさねばならない。

彼らは、ロシア・マルクス主義に対抗して唯物論における人間の主体性なるものを唱え、人間とその能動的行為が一切の社会関係の根源であると主張した。それゆえ、彼らにとって私的所有とは、そうした人間の主体的で自由な労働行為が自己から疎遠になってしまう「人間疎外」の結果であると見なされた。こうした「人間」を、あらゆる社会関係を創造する出発点として設定し、これを唯一の根拠として世界を解釈し理解し構成していく論理は、くり返すまでもなく、デカルトのコギトに始まる西欧近代の形而上学的伝統そのものであった。それは、ルカーチの階級意識論やグラムシの実践の哲学へと受け継がれて、二〇世紀マルクス主義の一方の旗指し物となったのである。

宇野弘蔵の価値形態論に代表されるような商品に「所有者」を設定し、その主観的行動によって資本主義世界を把握しようというマルクス理解は、その初発の意図はどうであれ、こうした超越論的主体の行動による疎外論的な世界構成へとかぎりなく接近するおそれを秘めていた。そしてそうした私的所有に対する認識はまた、選択能力と最適行動を備えた合理的個人の行為から構成される安定した自己調整システムという、こんにちの新古典派ミクロ理論やマネタリズムの市場観、さらにはリベラリズムによる個人的所有者のアソシエーションという未来幻想にも容易に通底しうる社会観であった。

もちろんマルクスのテキストはこれがすべてではない。優れたテキストは往々にして両義的である。それは、他方において、こうした近代の「主体」主義そのものに対する強力な批判たりうる側面を持っていた。すなわち、私的所有とは、なによりも商品経済による共同体の解体過程でありその結果である。資本主義的市場経済が一切の共同体的社会関係を商品の価値形態という等式によって切り刻むとき、そこに初めて、自由な自立した個人の私的所有という倒錯観念の根拠が暴き出される。それゆえ、一切の「人間」は経済的諸関係の人格化であり、「私的所有者」はこの経済的関係が付与するさまざまな機能を担う構造の束にすぎない。アルチュセールが正統にも指摘したように、人間なるものは無意識の関係的構造がつくりあげるイデオロギー的主体以上のものではありえなかったのである。

まさに「私的所有論」こそは、現代の社会思想が近代的人間像そのものの批判へと向かうのか、それとも方法論的個人主義によってリベラリズムへと解消されてしまうのか、という大きな分水嶺の位置を占めていたのである。

補論　土地の所有について

1　土地を所有する根拠

所有権の正当性にかんする議論は、J・ロックの『統治二論』第二篇五章によって開始されたといわれている。ロックはそこにおいて、「すべての人間は自分自身の身体に対して固有の所有権をもっている」という有名な「自己所有権（self-ownership）」テーゼを前提にして議論を始める。そして、個々人があらかじめ所有する身体に内属する労働を対象物に混合し付加することによって、生産物に対する所有権が発生する。すなわち、「自然が準備し放置しておいた状態から、彼が取り去れるものは何であれ、彼はこれに自己の労働を混合し、またこれに何か自分のものを付加し、これによってそれを自分の所有物とすることができる」というのである。

だが同時にロックの所有論では、自然対象としての土地の所有について一定の制限が加えられていた。彼は、労働（labor）とその生産物は疑いなく労働した自己の所有物であることを承認するが、労働が混合され付加された〝自然の恵み〟に対する所有は、それが「少なくとも共有物として他人にも十分に、そして同じようにたっぷりと（enough, and as good）残されている場合」[49]にのみ、所有の対象となるにすぎないという。一般に「ロック所有論の但し書き」と呼ばれるものである。

こうしたロックの所有論は、こんにちリバタリアンと呼ばれる人たちによってほぼ忠実に継承されているといってよいだろう。

たとえばR・ノージックは、「各人は自己の身体の正当な所有者であり、その身体に備わる能力を正しく行使して得た財貨に対して当然にも所有権を得る」として、財の所有の正当性の根拠を自己所有権の行使にもとめて、福祉国家や社会主義による再配分政策を自然権の侵害であるとして厳しく非難する。だがこのノージックといえども、人間が労働にもとづいて新たな価値を創造し所有するとき、「もし改善されるべき無主物のストックに限界がある場合には、ある物の改善によってその物全部の所有権を得るという考えは維持し難くなる」ことを認めている。彼は、ロックの但し書きに依拠して、「それまで誰の所有でもなかった物の上に恒久的で遺贈可能な財産権を生じさせる過程は、その物を自由に使えなくなる他の人々の立場がそれによって悪化するならその結果を生じさせない[50]」というのである。

すなわち土地に代表される有限の自然については、ロックやそれを継承するリバタリアンも、その所有に一定の制限を課していたといえよう。

このようなロックの自己所有権論は、他方でまた、G・W・F・ヘーゲルによって人間の自由を実現する内的・普遍的な根拠として評価され、「自己に固有な身体と精神を鍛錬してのみ、すなわち人間の自己意識が自分を自由な自己意識として捉えることによってのみ、人間は自己を占有し、自分自身の物について他者に対して所有権を主張できる[51]」と敷延されることになる。そしてそれは、ヘーゲルを介してマルクスにも受け継がれていく。それゆえ分析的マルクス主義を代表するG・A・コーエンによれば、自己所有権テーゼは、決してリバタリアンの専売特許ではなく、マルクス主義の搾取論やコミュニズムのヴィジョンにおいても広く暗黙の前提に置かれているといわれるのである。

じっさいマルクスは『経済学批判要綱』において、本源的所有なるものを、「自分に属するものとしての、自分のものとしての人間固有の定在とともに前提されたものとしての自然的生産諸条件に対する人間の関係行為」[52]と規定している。マルクスもまた、ロックと同様に、自然法的な人間の自己所有権論をア・プリオリに前提にしてしまい、そこから自己の労働に対する、さらには労働の生産物に対する私的所有を導き出していたといってよいだろう。

それゆえ、こうした所有の正当性が「繁栄し前精力を発揮し十分な典型的形態を獲得するのは、ただ、労働者が自分の取り扱う労働条件の自由な私有者である場合、すなわち農民は自分が耕す畑の、手工業者は彼が老練な腕で使いこなす道具の自由な私有者である場合だけである」[53]。こうしてマルクスは、「自己の労働にもとづく所有」なるものを、そのまま、直接生産者による労働条件の所有、すなわち小生産者的な〝小経営〟の評価に結びつけることにもなる。

もっとも、マルクスが小経営の典型とする農民の自分の耕す土地に対する所有は、「あらかじめ存在するところの彼の労働の前提であって労働の結果ではない」。それは手工業者の道具に対する所有と異なり、労働にもとづく直接的な正当化の論証に含めることはできないようにみえる。だがマルクスにとって、土地に代表される自然的労働条件は、農民の小経営において「彼の皮膚や彼の感覚器官と同様に、いわば延長された自分の身体をなす」ものであり、このかぎりで手工業者の道具に対する関係と異なるところはない。自由な土地所有は、「個々独立の労働個体と彼の労働諸条件との癒合」を体現するものとして評価されることになってしまうのである。[54]

この点で、マルクスにおいて土地所有は、ロック＝ノージックと同じく、リベラリズム的な自己所有権の延長においてその正当性を判断されていたといってよいかもしれない。

ではこれに対して、資本主義における土地所有はどうであろうか。

『要綱』においてマルクスは、資本主義の成立を、先の「個々独立の労働個体と労働諸条件の癒合にもとづく私的所有」の〝否定〟に見いだした。これは、『資本論』第一巻における、封建的共同地の囲い込み（enclosure）による労働力商品の排出をもって資本の原始的蓄積とする認識とは決定的に異質である。すなわち『要綱』において資本主義とは、小生産者的経営の両極分解の結果であり、とりもなおさず労働と土地の対立そのものであった。資本は、購入した労働力を可変資本として生産的に投下し、その所有を「蓄積された労働」として正当化しうるが、土地は、資本に外的な存在であり賃貸借をつうじて資本の利用に供されるしかない。資本主義では、いかなる「但し書き」を付けても土地の所有は正当性を得られないのである。

こうしたマルクスの所有認識が、小生産者の「自己の労働にもとづく所有」を起点にして、資本主義をその〝否定〟とみなし、それゆえ社会主義をその〝否定の否定〟、すなわち「土地・生産手段の共同占有にもとづく個人的所有の再建」とする、単純な弁証法に帰結してしまうことになったのは、まさに当然の成り行きだったと言えるだろう。

それゆえマルクスは『要綱』や『剰余価値学説史』などにおいて次のようにいう、

「資本の形式によれば、生きた労働は、原料に対しても道具に対しても消極的に非所有として関係するが、この形式には、第一に、土地の非所有が含まれている。すなわち、労働する個人が彼自身のものとしての大地に関係する状態、つまり土地の所有者として労働し生産する状態が否定されている。[55]」（『経済学批判要綱』）

「近代的土地所有は封建的な土地所有である。ただそれに対する資本の作用によって変化させられ、したがって近代的土地所有としての形態をとって受け継がれただけのものであり、資本家的生産の結果である。[56]」（『剰余価値学説史』）

「土地所有の独占は、何らかの形態で大衆の搾取に基礎をおくすべての従前の生産様式と同様に、資本主義的生産様式の前提であり、またその永続的な基礎である。しかし当初の資本主義的生産様式がみいだす土地所有がとっている形態は、それに適合しない。それに適合する形態は、農業が資本のもとに従属せしめられることによって、初めてこの生産様式のもとにつくりだされるのである。[57]」（『資本論』第三巻）

こうしてマルクスは、土地所有を、小経営の中軸をなす「永続的な基礎」であるが、資本主義的生産にとっては「余計な」「無用の癌」であるとみなした。このような方法論にもとづいて、土地所有を資本主義に先行する歴史的前提に置いて、近代的土地所有とは、それが「資本および資本主義的生産様式の発展によって変化させられた形態（verwandelte Form）」として位置づけられることになるのである。

2　土地所有の否定論

歴史的前提としての「絶対地代」

仮に、マルクスのいうように、「土地所有の独占」を資本主義的生産様式のア・プリオリなひとつの「歴史的前提」と考えるならば、なるほど「資本主義的生産様式がその開始にあたって当面する土地所有形態は、この生産様式に適合していない」。

たしかにこうしたスタンスにたてば、近代的所有の理論は、封建的ないし小生産者的土地所有から資本家的な農業経営に適合した土地所有形態への転化の歴史プロセスとして把握されることにならざるをえない。したがってそこでは、資本主義における利潤率の均等化の結果である差額地代に先行して、土地利用者（資本家）が賃借料を支払わなければ土地の耕作を許されないという歴史的事実としての「絶対地代」がまず問題とされることになる。

それゆえ、絶対地代は、自由な資本投下を妨害する「前近代的で封建的な土地所有」を表現するものということになろう。「土地所有の独占」が資本の投下を阻害し、農産物の市場価格が生産価格を越えるまでは土地の利用を許さないという制約が、土地の利用の絶対的条件となる。つまり、本来は平均利潤として資本家のものになるはずの社会的剰余価値に対して、利潤率の均等化を妨げ、土地所有者が外部から分与を強要する関係である。

このことは、資本家の土地利用権すなわち経営活動の自由に対して、「土地所有」が障害物として立ちはだかることを意味する。それゆえ、これを、市場メカニズムそのものによって生じる差額地代に置き換えることによって、初めて農業資本家の土地利用権に従属する「近代的土地所有」なるものが確立することになろう。

これは経済学的には絶対地代をア・プリオリな前提とし、そこから差額地代へと移行するロジックとなる。もちろんそれは、最終的に公刊された『資本論第三巻』の地代論の論理展開とはまったく逆のものである。しかしながらマルクス自身も、一八六二年の『剰余価値学説史』や一八六八年の『資本論第三巻草稿』においては、いまだ、このような歴史的な地代論の展開を試みようとしていた。こうしたマルクスが当初予定しながら果たせなかった「独立の土地所有論」プランをふまえ、K・カウツキーは独自に『剰余価値学説史』の編纂を試みた。そしてその第二巻序文において、「『資本論』のばあいとは逆に絶対地代の説明が先頭に来なければならない[58]」と述べて、歴史的移行論としての土地所有理論の体系化を企てることになるのである。

こうして、マルクスの経済学批判プランやカウツキーの方法論では、資本が外的前提としての土地所有を制圧する歴史プロセスが、絶対地代から差額地代への〝弁証法〟的発展としてたどられることになる。

歴史過程としての「差額地代」

農業においては、同一面積の土地に同量の資本を投下しても農産物の収穫量に差異が生ずる。こうした自然的な土地の豊度や位置の違いによって形成される超過利潤が、一般に差額地代Ⅰと呼ばれる。これにたいして、同一の土地に同額の資本がそれぞれ異なる生産性をもって継続的に投下されたばあい、ここに生じる超過利潤は差額地代IIと呼ばれる。エンゲルスによれば、農業において継続的に資本投下が行なわれるさい、同一地に投下された諸資本の平均によって個別の生産価格が決定され、そのうちの最大のものである最劣等地の投資が市場価格に規定的に作用するとされる。

しかしながらマルクスは、これと異なったロジックを展開している。彼は、優等地であれ劣等地であれ、すでに耕された土地に部分的に追加投資を行なった場合、継続的な投資によってしだいに生産性の低下がみられるケースを想定する。この追加投資は従来の投資と分離されて、資本の形成する超過利潤の均等化を妨げる。しかも最終の追加投資が最劣等地の一次投資よりも生産性が低いばあい、この追加投資分が単独で平均利潤を確保できるレヴェルまで市場価格が上昇することになり、最劣等地にもいわゆる差額地代が成立するというのである。[59]

ここでは、最劣等地において超過利潤が形成される根拠は農産物の市場価格の上昇に求められており、この根本的な要因は、いまだなお「土地所有の独占」が資本の追加投資にたいして外的に制限をなす権能に求められているといってよいであろう。

さらにマルクスは、最劣等地にしだいに収穫が逓増する追加投資が行なわれるケースを想定する。技術を改善した追加投資が最劣等地の小さな部分にとどまるばあいは、第一次の投資と合体されず、平均した生産価格つまり市場の調整価格を低下させる方向には作用しない。つまり「土地所有の独占」が、先の投資にもとづく調整価格をそのまま単独で固定して、逆に第二次投資より後の超過利潤を順番に地代化していくという捉え方である。

たしかに「土地所有」を歴史的な前提に置いたばあいには、資本の追加投資が従来の投資と一体化することを妨げ、そのぶん生産物の価格を騰貴させる権能をはたすことになる。すなわち土地所有が、資本の農業経営による超過利潤の形成に対し、なお外的な影響を与えるものと想定される。こうして資本家は、「自ら超過利潤を目的に資本を追加しながら、これを地代化して土地所有者に与える」[60]というパラドックスに陥らざるをえない。

したがって、農業資本の経営活動いいかえれば土地利用権の自由を保障するためには、最終的にこの「余計な」「無用の癌」[61]である「土地所有の独占」を取り除くことが要請される。すなわち資本家は、技術の改善による集約的な追加投資をすすめ、これをそれ以前の投資と一体化させねばならない。それゆえ歴史的な「土地所有」論は、最終的に、差額地代Ⅰに帰結することになる。

土地公有化または土地所有の廃止論

こうしてマルクスやカウツキーに従えば、差額地代Ⅰにおいて、利潤率を均等化する市場メカニズムはようやく資本主義的工業と同様に作動する。資本による農業経営は自由に行なわれ、土地所有は、資本自身がどうしても支配しえない自然力の差異にもとづいて、優等地に生じた超過利潤の分与を受ける権能にまで切り詰められることになる。ここに初めて、土地の所有権が利用権に従属するという「近代的土地所有」のシェーマが成立する。すなわち、「外的前提」であり「無用の癌」であった絶対的な土地所有権の存在が克服され、土地利用権すなわち資本投下の自由が全面的に確立されるという近代化の歴史弁証法なるものができあがるといえよう。

だが、このようにして完成した近代的な土地所有とは、いったい何を意味するのであろうか。こうした土地利用の権利を無条件に保障するためには、自由な資本の投下を妨げる原因、すなわち利潤率の均等化を妨害して市場価格を騰貴させる原因そのものを取り除かなければならない。すなわち「絶対地代」を除去して、土地所有の権能を「差額地代」に限定する必要があるのである。

この点は、マルクスの『剰余価値学説史第二巻』をふまえて、K・カウツキーやV・I・レーニンが土地国有化論として力説したところでもあった。よく知られているように、たとえばレーニンは次のように説いている、

「差額地代はあらゆる資本家的農業に不可避的で固有のものであるが、絶対地代はあらゆる資本家的農業に固有のものではなく、土地の私的所有と、歴史的に与えられた農業の立ち遅れ、独占によって固定された立ち遅れを前提としたときのみに固有である。……土地の国有化は差額地代の所有者を変え、絶対地代の存在をくつがえす。[62]」

たしかに差額地代は、もともと土地所有の権能とはなんの関係もない。それは土地の自然的な条件の差異を根拠にして、農業生産物の市場価格が限界生産物の生産価格によって規定されることから生じる、資本主義的な農業経営そのものの産物だといえる。だがマルクスによれば絶対地代はそうではない。それは、土地所有権が資本に対して対立するものとして存在し、あらかじめ土地に対する資本の投下を規制する権能そのものである。絶対地代は外部から資本の利潤を奪い取る、資本主義にとっ

て「無用の癌」でしかない。

したがって、土地の賃貸借を安定させて土地利用の自由を保障するためには、資本投下の自由を妨げるものとして存在する土地所有の権能を最小限にまで抑制し、最終的にはそれを消滅させるしかない。土地利用権としての資本投下の自由は、必然的に絶対地代を廃絶する土地公有化論にまでいき着かざるをえない。

じじつ歴史的にも土地の公有化の主張は、レーニンやカウツキーなど社会主義者のオリジナルではなかった。むしろそれは、資本主義市場経済を前提としその完成をめざす政策として、急進リベラリストによっていっそう強く主張されてきたといってよいだろう。(63)

古典的な例をあげれば、リカードウ派の投下労働価値説の流れをくむJ・S・ミルは、地主の不労所得を批判して、土地の国有化を、社会不公正を是正する最良の手段と考えた。また、一九世紀の後半にイギリス土地国有化協会を創設したアルフレッド・ウォーレスは、国家が地主から土地を買収し自営農民に貸し付けることを提案した。そのさい彼は、土地価格分については国家が地主に年賦で支払い、土地の改良費については農民の小作料によって補償することを主張している。さらにヘンリー・ジョージは、地租以外の租税を廃止し、地主に対し地代所得のほとんどを吸収しうる高税を課すことで国家の財政収入をまかなう、いわゆる土地単税法論を構想したのである。

そしてこうした主張は、今日においては、分析的マルクス主義という名の現代リベラリズムによって継承されていくことになる。

たとえばH・スタイナーは、外的資産である土地の相続権を廃止して、人生の初期に個々人に平等に配分し、それ以降は個人の内的資産である自己所有権にもとづいて自由な運用にゆだねる方式を提案する。そしてまたPh・ヴァン・パレースが説く「基本所得（basic income）」論もこれと共通する所有論であるといえよう。彼は土地を公有にすることで、初めて個々人の基本所得が無条件に平等に支給しうるようになると主張するのである。

土地所有廃止論への批判

しかしながら、こうした資本主義における「土地所有の廃止」論については、すでに決定的な批判が加えられている。代表的なものは宇野弘蔵によるものであろう。

「土地私有は……資本主義の下に全面的に確立する私有財産制の形式的前提をなすものである。資本主義は、労働生産物でない土地の私有を認めることによって私有制を確立する。労働による私有は、労働力商品の購入によって、また土地の借入れによって資本のもとに初めて認められることになるのであって、土地私有は資本主義と切っても切れない関係にある。(64)」

また、大内力は、差額地代は仮に国家が徴収することが可能であったとしても、資本主義が絶対地代を消滅させることは根本的に不可能であるという。

その理由は、第一に、地代をとる優等地と無償で貸し出す最劣等地の判別は困難であり、まして国家が最劣等地の差額地代と絶対地代とを見きわめることなどまったく不可能である。しかも国家が最劣等地を無償で貸し出せば、やがてそれは転貸されて事実上私有地と化さざるをえない。そして第二に、より重要なことは、最劣等地から必ず地代（絶対地代）を取らなければ、マルクス自身が認めるように「農民大衆からの土地の収奪は資本家的生産様式の基礎をなす」という資本主義の原始的蓄積そのものが不可能になるという点である。[65] この意味において土地所有の否定は、資本主義的私有制度と一体である労働力商品の形成および反復的な再生産のメカニズムそのものを破壊してしまう。

したがって宇野も大内も、土地所有権は、決してマルクスが『剰余価値学説史』でいうような、「労働諸条件についての私的所有の一つの形態に対する攻撃は、他の形態に対してもきわめて危険なことになるから」とか、「ブルジョアは自らも土地を所有しているから」などという消極的な理由で、やむをえず容認されているわけではないという。むしろ反対に、資本主義は、何人にも自由に利用させない土地の所有権を承認することによって、初めて無産者の労働力を商品として確保することができる。この労働力の商品化によって、ようやく商品による商品の生産が実現され、それゆえ初めて一切の労働生産物について商品としての所有権を確立することが可能になるのである。

経済学批判プランの変更

じじつマルクスは、一八五八〜五九年に書かれた「経済学批判プラン」では、「①資本、②土地所有、③賃労働、④国家、⑤外国貿易、⑥世界市場」という六部構成プランを構想していた。[66] そこでは、資本、土地所有、賃労働がひとしく「近代社会が分かれている三大階級の経済的生活条件」とみなされていた。しかも『要綱』では、このうちの「資本」だけを対象として扱い、「土地所有」は「賃労働」

とともに「資本」の考察対象から除かれ、独立項目として別途に展開することを予定していた。すなわち土地所有は、資本の外部に置かれて、「資本」に対立するものと考えられていたのである。

しかしマルクス自身も、しだいに、資本を、たんに生産手段の支配としてではなく流通の運動態として把握することによって、労働と土地所有を、資本それ自身が編成していく構造的連関のうちに解明する方向を示唆することになる。

マルクスは、一八六一〜六三年の二三冊ノートのなかで、リカードウ地代論の批判をつうじて、生産価格と絶対地代のカテゴリーを明確にし、『要綱』プランを変更して、経済学批判の対象を、剰余価値・利潤・地代の連関を含む総体的な「資本」体系に発展させることになる。そして六三年一月における「資本と利潤プラン」では、旧来の「資本一般」の範囲外にあった蓄積と競争の問題が資本の内部にとりこまれ、「土地所有」を「価値と生産価格の区別の例証」として体系の内部に組み込んで、最後に「資本と賃労働」で総括する計画が披瀝される。(67) こうして一八六三〜六五年には、二三冊ノートをふたたび全面的に書きなおし、資本を現実的主体とする形態的諸連関のうちに、賃労働と土地所有の形成を確定する三度目の準備草稿を書き上げたのである。

いうまでもなくこの具体化への着手が一八九四年に公刊される『資本論』第三巻であり、そこでは、先にみた「外的」「前提」としての土地所有論ではなく、ようやく、資本自身が形成する構造的イデオロギーとしての土地所有論が姿を現わすことになる。

こうして私たちは、資本主義自体にとって、土地所有権のもつ正統性をよりポジティヴに位置づける根本的なパラダイムの転換を図らねばならないことになる。それはすなわち現行『資本論』における歴史弁証法的な土地所有論を大幅に読み変え、これを構造的に再構成することにつながざるをえないだろう。

3　資本主義と土地所有

資本主義における土地所有の位置

近代資本主義は、すべての社会関係が商品経済によって一元的に編成される社会システムである。そこにおいて所有権は、商品経済による契約関係の結節として人の物に対する全面的・包括的・無条件的な支配の権原としてあらわれる。もっとも本源的な自然条件である土地については、こうした商品経済による所有の根拠をあらかじめ自動的に創出するとはいえない。それは商品経済的な所有に対し、おのずから特異な位置関係に立つ。

そこでまず、商品経済と土地所有の関係が問題となる。再確認すべきは、マルクスが正当に指摘するように、商品は、それが誰によってどのように生産されたのかをまったく問題にしない「生まれながらの平等派」である。それゆえ商品経済によって編みあげられる「所有」は、労働生産過程に対し外部的な存在にとどまり、生産過程内の土地をはじめとする生産手段の所有関係とはなんら内的必然的関連をもたない。このことは、いわゆる〝資本〟にも当てはまる。それが商品（W）と貨幣（G）から構成されるG—W—G′という流通形態である以上、特定の土地所有形態を前提とせず、土地にいかなる所有者も要請するものではない。

これに対し、資本主義的生産となるといささか事情が異なってくる。資本主義とは、資本が生産過程…P…を包み込み、産業資本G—W…P…W´—G´を編成することで初めてできあがる社会システムである。それゆえ、その確立は労働力の購入という「世界史を画する一つの歴史的事件」に依存している。労働力の商品化は、たんなる商品の流通と異なり、必ず、それ以前にあった共同体的土地所有を暴力的に解体し、労働力を売る以外に生活の糧のない自由な無産者を形成しなければならない。このいわゆる資本の原始的蓄積（enclosure）のテコとして初めて「土地所有」が要請される。それゆえ、自由な労働力の所有者と一地一主の土地所有者とは表裏一体のものとして資本主義の「永続的基礎」をなす。

この意味において私的な「土地所有」は、イギリス型の貴族的大土地所有はいうまでもなく、フランス型の小農民的土地所有であろうと、プロシャ型のユンカー的土地所有であろうと、日本の明治維新後の寄生地主的所有であろうと、一定の農民を労働力商品として工場へ排出するかぎり基本的に近代的所有の確立とみなすことができる。そもそも資本主義以前の社会では、土地は、国王・領主・農民などの身分に応じて畳重的に領有・保有されていたのであり、一地一主の土地所有権の観念すら存在しないのである。

もっとも、こうして確立された「土地所有」は、そのままで直ちに資本主義的に承認されたイデオロギーとしての正当性を獲得しているわけではない。原始的蓄積によって強行される「土地所有」は、むき出しの暴力によって農民を排除するものである以上、その性格も、いわば一定の事実的支配にとどまり、社会的承認に裏づけられたものとはいえない。それは、法的言語に翻訳すれば、「所有の本権に無関係なモノの事実上の支配[68]」すなわち占有（Besitz）とみるのが適当であろう。

それゆえ、次に、こうした事実としての土地の占有（Grundbesitz）が、どのようにして全社会的に承認された私的所有（Privateigentum）という法イデオロギーになりうるのかが問題となる。それはちょうど先の「価値形態論」において、商品の「占有」をひとまず捨象しつつ、商品形態の展開そのものによって「私的所有」というイデオロギーを措定していくのと、同じ論理的関連にあるといえよう。

差額地代Ⅰと土地所有の構成

以上の方法論に立つとき、地代論の出発点は差額地代Ⅰであり、それは「土地所有のないところから出発しなければならない[69]」。

むろん、一方で発達した資本主義の存在を認め、他方で土地所有が存在しないという仮定を置くのは、いちじるしく不自然な想定にみえる。資本主義の要が労働力の商品化である以上、なんらかの「土地所有」の存在は暗黙のうちに前提とせざるをえない。けれども出発点における資本主義的生産の市場メカニズムにおいて、土地所有は、地代の形成に、より正確にいえば差額地代に転化するはずの超過利潤の形成に、まったく関与していない。差額地代Ⅰで前提とされる「土地所有」は、事実としての〝土地占有（Grundbesitz）〟にとどまり、所有権としての具体的権能は、これから実際に措定されるものとして捨象されている。

農業部門の競争は、はじめから土地の自然的な制約を考慮して行なわれる。優等地がすべて耕作し尽くされて、より劣る土地の耕作によらなければ社会的需要に応ずることができない場合に、初めて劣等地は耕作に提供される。それゆえ農地の利用は、理論的にはリカードゥのいわゆる下向序列（収穫逓減）ですすみ、限界地である最劣等地の個別生産価格によって社会的な市場調整価格が決定される。これが農産物の標準的生産力による市場価値の規定である。

たしかに工業部門においても、新しい機械技術を採用した企業は特別剰余価値としての超過利潤を得るが、これは、同様の技術の普及とともに消滅して利潤率は均等化される。ところが農業部門では、利用する土地の自然的な差異にもとづいて、いわゆる「虚偽の社会的価値」としての超過利潤が恒常的に生み出される。これは、土地という不均等な自然力を利用した市場メカニズムの必然的帰結であり、いかなる意味でも、土地所有の権能にもとづくものではない[70]。それゆえ、農業資本はその競争的な投下によって正当に平均利潤を取得しうるが、これを越える超過利潤については自らの所有に帰属させることができない。それは、資本によって地代として外部に排除され、その取得権原をもつ別個の「所有者」をつくりださざるをえない。すなわち資本の競争自体が、自然力としての土地に所有権を要請し、土地そのものに独立した「所有者」を指定することになる。

こうした差額地代Ⅰにおいて「土地所有」はまずは優等地のみであり、その権能も資本の土地利用権に従属するかぎりにとどまることになる。

差額地代Ⅱと土地所有の拡大

こうして優等地から順に投資が劣等地にまで及ぶと、最劣等地以外のすべての土地に所有が措定されることになる。次いで、最劣等地に投資を行うよりも優等地に第二次投資をした方が、高い生産性が見込まれる場合、優等地への追加投資が行なわれることになる。これが差額地代Ⅱである。このばあい、土地生産物の市場価格は、いまだ最劣等地投資による個別生産価格を調整価格として決定され、したがって土地所有はあいかわらず優等地のみに成立するにすぎない。すなわち差額地代Ⅰにおける市場価格をそのまま維持して、収穫が逓減していく第二次以降の投資による個別的な生産価格との差額がそれぞれ追加的に地代化されるだけである。

では、最劣等地にも土地所有が要請されるのは、いかなる場合であろうか。

当然にもそれは、すでに所有権が措定されている既耕地に最劣等地への投資よりも生産性の低い追加投資が行なわれ、最劣等地の占有そのものが差額地代を取得する権原に転化する場合であると考えられる。

もっともマルクスのばあい、最劣等地に収穫が逓増する追加投資が行われるという想定をしている。この結果、最劣等地における一次投資が市場生産価格の調整価格となり、追加投資による超過利潤の実現がそのまま地代の取得権原となって、最劣等地に土地所有権が措定されるというのである[71]。しかしながら収穫の逓増によって生じる超過利潤は、機械技術の改善によって生じるものと同じく特別剰余価値の一種とみなすことができよう。したがってそのような投資が普及するにつれて、やがては市場価格を低下させ超過利潤そのものを消滅させることになるはずであり、地代として固定されるとは考えられない。マルクスのロジックは、農産物の価格を上昇させ超過利潤を単独で固定させるものとして、「土地所有の独占」があらかじめ前提とされているといってよいだろう。

それゆえ最劣等地における土地所有権の確立は、ゆいいつ既耕地に生産性を逓減させる追加投資が行われる場合に限られてくる。このばあい、旧来の最劣等地がそれ以上の生産性を有することになり、この最劣等地にも差額地代Ⅱが生じ、したがってその取得権原としての「制限され独占された土地所有」が要請されることになる。(72)

そしてこれによって初めて、優等地から最劣等地にいたるまですべての土地に「資本家的生産の結果としての土地所有」が、したがって社会的・法的に承認された近代的土地所有権が成立するのである。

絶対地代と土地所有権の完成

以上の土地所有の成立メカニズムは、資本が相互の競争の結果として超過利潤を排除し、それを地代として受けとる権利の「主体」を外部につくりだすことによって利潤率の均等化を達成するという、いわば市場メカニズムそのものが創造した「土地所有」であった。ところが、このロジックはその重層的な累積の結果において転倒して構造化されざるをえない。

つまりあらゆる土地に所有権が成立すると、あらかじめ土地所有なるものが自存して、しかるのち、これが逆に土地利用を許可するという倒錯した観念が生み出されることになる。この点を、大内力は正当にも次のように表現する、

「耕作されるすべての土地に地代が生ずることを前提として、これから耕作されるべき土地にも、あらかじめ地代を要求しうる根拠が与えられ、したがってそこにも土地所有の独立の基礎が与えられる。(73)」

すなわち最劣等の既耕地に差額地代が成立すると、それより生産性の低い土地もいずれは利用される可能性があるということで、あらゆる土地にまえもって所有者が設定される。

じっさい、すべての優等地に第二次投資が行なわれても社会的需要が満たされないと仮定すれば、最劣等の既耕地の第二次投資よりも未耕地への新規投資の方がより生産性が高い場合、資本はこうした限界地へと向かわざるをえない。この限界地に生じる地代は、最劣等地への投資や優等地への追加投資による市場生産価格の調整とかかわりなく成立するのであり、したがって土地の生産性の差異にもとづく差額地代ではない。土地所有は、農業部門の内部において生産された剰余価値が平均利潤として均等化することを妨げ、そのぶん農産物の市場価格を上昇させて新たに地代をつくりだすのである。

この地代は、明らかに資本にとって空費であり、生産価格を形成する市場メカニズムそのものに一定の修正をもたらす。すなわち、資本にたいし無償の利用を認めないという、土地所有の「絶対的」権能それ自体によって地代が生みだされる。これが絶対地代と呼ばれるゆえんである。

ここにおいて土地所有は、「資本が平均利潤として処理しうるような社会的剰余価値に対しても積極的に分与を要求しうる[74]」積極的な権能して登場する。それは、たんなる事実としての土地占有(Grundbesitz)ではなく、むしろ逆に、資本主義的市場メカニズムそのものが自らを制限するものとして最終的に措定する私的所有(Privateigentum)である。それゆえ、こうした土地所有の権能はたんに限界地のみにとどまらない。それは限界地農産物が生産価格を超過することに対応して優等地の地代をも増加させ、一般に生産物あたり均一の絶対地代をつくりだすことに帰着せざるをえない[75]。

現実的関係としては、土地所有は地代をうけとる権利として創出されたのであるが、イデオロギー的には、あらかじめ土地所有が存在するので地代を得られるものとして逆立ちして観念される。いまや、土地所有は、まるでそれ自身はじめから自存する独立した〝天賦の権利〟であるかのごとく万人に観念される。こうした近代的土地所有権の私的・絶対的性格について、マルクスは次のようにいう、

「あたかも、生産物が、資本および資本の人格化にほかならない資本家において、その生産物に対する自動的な力能となるのとまったく同様に、土地は、土地所有者において人格化されて自動的な力能となって暴れまわり、その産出をたすけた生産物の分け前を自分の権利として要求するのである。[76]」

4　私的所有権としての土地所有

さて、このようにして確立した私的かつ絶対的な土地所有は、その地代を利子に還元することによって、みずからを「商品」として表示する。

すなわち差額地代から絶対地代が展開され、あらゆる土地に地代が成立することになると、地代という土地収入が、信用による一般利子率によって利子に還元され、すべての土地に、擬制資本の元本に見立てられた「価格」が形成されることになる。ここに初めて土地は、あらゆる財物と同じく、貨幣によって自由に購買される商品として近代的所有権の対象となる。それはイデオロギー的には、労

働の生産物とまったく同様に、事実としての「占有」を離れた商品所有権としての「観念性」を示すことになる。

こうして土地所有は、「私的」「絶対的」に加えて「観念的」性格を兼ね備えた権利として法規範的な正当性を確立する。いまや土地所有権は社会のすべての成員に自明のものとして承認され、誰も疑いえない完全で普遍的なイデオロギーとなったのである。もはや、土地所有（Grundeigentum）を商品の私的所有（Privateigentum）と区別する必要性はまったくない。マルクスはこの点を正当にも次のように指摘する、

「自由な私的所有権という法的観念は、土地を自由に処分しうるのは各商品の所有者が自分の商品を自由に処分しうることと同じだ、という以外には何も意味しないのである。この法的観念は、古代社会ではただ有機的社会秩序が解体する時代にのみあらわれ、また近代世界ではただ資本主義的生産の発展によってのみあらわれる。(77)」

追補　情報の所有について

土地所有については、以上で論述したように、近代資本主義的な私的所有の枠内にぴったりと収め

ることができる。だがしかしながら、今日のいわゆる現代資本主義では、所有権の中心は、土地ではなく、排他的に占有できない「情報」や「知識」、「サービス」に移っている。このため近年、物財としての商品の私的・絶対的・観念的所有に立脚する資本主義体制はすでにその成立根拠を失っているという、オプティミスティックな主張が声高に聴かれるようになってきた。すなわち情報化社会を、〝脱資本主義社会〟の到来とみなす見解である。(78)

けれども、先に詳しく展開したように、私的所有は資本主義市場経済の前提ではなく、逆に、そのイデオロギー的表現にすぎない。じっさいパソコンやスマートフォンをはじめとする私的な情報通信技術の発展は、いかなる意味でも新たな〝共同体〟を形成するものではなく、むしろ、個々人の匿名化と分散化、孤立や自閉を極限まで推し進めるものであることはすでに現実によって示されたといえるだろう。情報や知識もまた、デジタルマネーにより投機的に売買されることによって、それが無体財産たりうることを立証したのである。

じっさい、資本主義は、何よりも物財的な商品ではない労働力を商品化することによって、はじめて全社会関係を商品経済的な私的所有で覆い尽くすことが可能となった。労働力は、法的には賃金債権として構成されるとはいえ、人間の身体や精神と切り離しえないいわゆる「自己所有権」イデオロギーを担うものであり、今日の観念的な無体財産の原型をなすものといってもよいだろう。私的所有というイデオロギーは、アイロニカルにもこのような物財の占有を離れた所有の「観念性」を基底にして、初めて全社会的に成立しているのである。

しかも労働者は、土地の私有化によって、初めて身分的拘束からも生産手段からも自由な労働力の所有者として登場する。さらに、その労働力を商品として販売して得た賃金によって、物財的な生活資料を購買し所有することで自己の生存を維持する。つまり、資本主義社会においては、どれだけ情報や知識などの所有が発展したとしても、土地と生活資料は必ず物財的形態で所有されなければならないのである。

労働力という無体財産を基礎にして全社会を編成する資本主義は、その裏面において、土地に不動産としての所有権を付与し、労働者の衣・食・住にかかわる生活資料に動産としての所有権を設定せざるをえない。現代における知識や情報といった無体財産の「私的所有」のグローバルな拡大と膨張にもかかわらず、依然として、労働力商品の本源的形成と再生産という社会の基礎は、こうした物財的な商品（不動産および動産）の所有に支えられているのである。

この意味において、情報・知識・サービスが現実機能資本から遊離して国境を越え瞬時にウェブ空間を駆け巡るいわゆる「情報化社会」もまた、けっして商品経済的所有の否定ではなく、むしろ相互他人的な物象的依存関係の徹底であり、かつ物財の占有を離れた所有の「観念性」の全面化形態であるといってよいのではなかろうか。社会の情報化は、資本主義的合理性というフェティシズムを脱するどころか、逆にますます、人々の意識を「私的所有」というイデオロギーによって雁字がらめに呪縛し続けているのである。

資本主義の克服は、商品経済的自由・平等からの脱却でなければならないゆえんである。

第Ⅱ部注

（1） K. Marx; *Das Kapital I*, *MEW*. Bd. 23, S. 49.（全集二三巻四七頁。）
（2） *Ebenda*, S. 12.（同七頁。）
（3） *Ebenda*, S. 86.（同九七頁。）
（4） 加古祐二郎『近代法の基礎構造』日本評論社、一九六四年、八一、八五頁。ここから佐々木隆治のように、マルクスの商品の物神性を「商品生産関係」なるものの物象化として理解する誤読も生じることになる。佐々木『マルクスの物象化論』社会評論社、二〇一八年。
（5） K. Marx; *a. a. O.*, S. 101.（全集二三巻一一六頁。）
（6） E. B. Paschukanis; *Allgemeine Rechtslehre und Marxismus*, 1927.（『法の一般理論とマルクス主義』稲子恒夫訳、日本評論社、一九六七年、新版一九八六年、一一七頁。）川島武宜『所有権法の理論』岩波書店、一九四六年、二六頁。山中康雄『市民社会と民法』日本評論社、一九四七年、八六頁 などがこれにあたる。
（7） K. Marx; *a. a. O.*, S. 102.（全集二三巻一一七頁。）
（8） *Ebenda*, SS. 99-100.（同一一三頁。）
（9） 廣西元信『資本論の誤訳』青友社、一九六九年（新版、こぶし書房、二〇〇二年）。同『左翼を説得する法』全貌社、一九七〇年。K. Marx; *Le Capital*, traduction de M.J. Roy, entièrement revisée par l'auteur, éditeurs, Maurice Lachatre, Paris, 1875, Far eastern booksellers publischers, Tokyo, 1976, p. 34.
（10） たとえば、岡崎次郎訳『資本論・第一巻一分冊』（全集二三巻）大月書店、一一三頁。長谷部文雄訳『資本論（一）』青木文庫、一九一頁。向坂逸郎訳『資本論（一）』岩波文庫、一五二頁 などにおける訳語の異同を参照。

(11) 林直道『史的唯物論と経済学（下）』大月書店、一九七一年、二〇六頁。同『史的唯物論と所有理論』大月書店、一九七四年、二六七頁。
(12) 田口富久治『マルクス主義政治理論の基本問題』青木書店、一九七一年、一五一頁。
(13) K. Marx: Ökonomische Manuskripte 1857-58, *Grundrisse der Kritik der politischen Ökonomie*) Teil 1, MEGA. 2. Abteilung, Bd. 1, S. 37.（「経済学批判要綱への序説」『資本論草稿集』一巻五二頁。）
(14) *Ebenda*, S. 183.（「経済学批判要綱」『同』一巻三〇三頁。）
(15) I・P・ラズモフスキーの占有理論については、藤田勇『ソビエト法理論史研究一九一七～一九三八』岩波書店、一九六八年、一七三～一八一頁を参照。
(16) E. B. Paschukanis; *a. a. O.*,（前掲邦訳一一七頁。）
(17) *Ebenda.*（同一三〇、一一八頁。）
(18) 中野正「商品生産の所有法則」久留間鮫造・宇野弘蔵ほか編『資本論辞典』青木書店、一九六六年、二七四頁。
(19) 末川博『占有と所有』法律文化社、一九六二年。鷹巣信孝『所有権と占有権』成文堂、二〇〇三年を参照。
(20) 川島武宜『所有権法の理論』前掲は、冒頭で、以下のようなSavigny, Windscheid, Wolff, Aubry et Rau, Colin et Capitant、富井政章、横田秀雄、末弘厳太郎などによる所有権の法学的定義を掲げ、これらを人と人の社会関係の視点から批判している。
(21) マルクスのテキストにおける価値形態論の形成過程にかんする研究として、奥山忠信『貨幣理論の形成と展開』社会評論社、一九九〇年、第Ⅱ部。田中史郎『商品と貨幣の論理』白順社、一九九一年、第一編 などを参照。
(22) K. Marx: *Zur Kritik der Politischen Ökonomie*, MEW. Bd. 13, S. 25, 27.（全集一三巻二四、二五頁。）

（23）マルクスに対するベーリーの影響関係について、廣松渉『資本論の哲学』現代評論社、一九七四年、第一章五節。竹永進「S・ベーリー価値論と六〇年代初頭のマルクス」『大阪市立大学経済学雑誌』七七巻一号、一九七七年を参照。
（24）K. Marx; *Das Kapital*, Erster Band, Verlag von Otto Meinsner.（初版復刻版、青木書店）S.33.（『資本論第一巻初版』岡崎次郎訳、国民文庫、七五頁。）
（25）*Ebenda*. S. 34.（同七五～七六頁。）
（26）K.Marx; *Das Kapital I*, *MEW*. Bd. 23, S. 62-85.（全集二三巻六四～九五頁。）
（27）宇野弘蔵『資本論五十年（下）』法政大学出版局、一九七三年、六三五頁。
（28）山口重克『価値論の射程』東京大学出版会、一九八七年、五～六頁。
（29）宇野弘蔵『経済原論・上巻』岩波書店、一九五〇年、二九、三〇頁。
（30）同三二頁。
（31）同三四頁。
（32）同三六頁。
（33）山口重克『経済原論講義』東京大学出版会、一九八五年、二〇～二三頁。小幡道昭『価値論の展開』東京大学出版会、一九八八年、第一章二節などを参照。
（34）K. Marx; *a. a. O.*, S. 100.（前掲一一四頁。）
（35）鎌倉孝夫『資本主義の経済理論』有斐閣、一九九六年、五四頁は、宇野学派の原理論のテキストのなかで、BesitzerとEigenümerの区別について唯一説明を与えている。平林千牧編『マルクス経済学・原理論編』法学書院、一九七五年には説明はないが、商品の「所持者」と「所有者」を区別した使い分けが見られる。
（36）鈴木鴻一郎『価値論論争』青木書店、一九五九年、一六九～一七〇頁。

(37) 大内秀明・桜井毅・山口重克編『資本論研究入門』東京大学出版会、一九七六年、第I章 商品(侘美光彦)五七〜五八頁。
(38) 宇野弘蔵『経済原論・上巻』岩波書店、二八〜二九頁。同三一〜三二頁。
(39) 宇野弘蔵『岩波全書・経済原論』一九六四年、二二頁。
(40) 宇野弘蔵『資本論五十年(下)』法政大学出版局、七八〇頁。向坂逸郎・宇野弘蔵編『資本論研究-商品及び交換過程』河出書房、一九四八年、一六六、二三三頁などを参照。
(41) E・フッサール『イデーンI』みすず書房、一九八四年。
(42) 同「デカルト的省察」『世界の名著五一巻・ブレンターノ、フッサール』船橋弘訳、中央公論社、一九七〇年、四三〜五五節。いわゆる他我問題について、M・トイニッセン「他者」新田義弘ほか編『現象学の根本問題』晃洋書房、一九七八年を参照。なお、青木孝平「『他者』の倫理学」社会評論社、二〇一六年は、フッサールにおける外部の不在をE・レヴィナスの「他者」論との対比において論じている。宇野の価値形態論も、商品所有者の欲求の志向性に依拠するかぎり、貨幣の論証は不可能であろう。貨幣は商品世界に対して一つの外部=他者として前提とする以外にないように思われる。同書二七四頁参照。
(43) L・アルチュセール『マルクスのために』河野健二ほか訳、平凡社、一九九四年に付された河野健二による「訳者まえがき」五頁などを参照。
(44) こうした価値形態論を価値と使用価値の非対称性と相補性によって読むアイデアは、鈴木鴻一郎編『経済学原理論・上』東京大学出版会、一九六〇年からヒントを得た。ただし同書が、価値と使用価値の関係を「矛盾」として捉え、価値形態論の展開を弁証法的な移行過程とする理解については、方法論を共有するものではない。
(45) K. Marx; *a. a. O.*, S. 74.(前掲八一頁。)

（46）永谷清「価値形態論の偉力」『資本主義の核心』世界書院、一九九七年。永谷は、相対的価値形態と等価形態の両方に「所有者」を設定する。両項における相補的関係性を強調するのは首肯できるが、結果的に価値形態論を、ますます主体相互の「交換過程」の世界に接近させてしまうことになるように思われ疑問である。

（47）マルクスの価値形態論をソシュール言語論との対比において理解するものとして、丸山圭三郎「貨幣と言語記号のアナロジー」『現代思想』一九七七年一〇月号。柄谷行人「貨幣の形而上学」同。また、価値形態論から弁証法的論理を排除し、構造論的に理解するものとして、今村仁司『暴力のオントロギー』勁草書房、一九八二年、四四〜六五頁を参照。

（48）K. Marx; *a. a. O.*, S. 610.（前掲六〇九〜六一〇頁。）この批判として、青木孝平「『領有法則の転回』の批判と所有権法の体系」『経済と法の原理論』社会評論社、二〇一九年。

（49）J. Locke; *Two Treatises of Government*, chap. 5, sec. 27.（「統治論」『世界の名著二七巻』宮川透訳、中央公論社、一九八〇年、二〇八頁。）なおこの検討として、森村進『ロック所有論の再生』有斐閣、一九九七年を参照。

（50）R. Nozik; *Anarchy, State and Utopia*, Basic Books. 1974, p. 175（『アナーキー・国家・ユートピア（上）』嶋津格訳、木鐸社、一九八五年、二九五頁。）

（51）G. W. F. Hegel; *Grudlinien der Philosophie des Rechts*, §57.（「法の哲学」『世界の名著三五巻ヘーゲル』藤野渉ほか訳、中央公論社、一九六七年、二五三頁。）

（52）K. Marx; *Ökomische Manuskripte 1857-58*, Teil 2, *MEGA*. 2. Abteilung, Bd, 2. S. 395.（「経済学批判要綱」『資本論草稿集』二巻一四三頁。）

（53）K. Marx; *Das Kapital I*, *MEW*. Bd. 23, S. 789.（全集二三巻九九三頁。）

(54) K. Marx; *Ökomische Manuskripte 1857-58*, a. a. O., S. 390.（『経済学批判要綱』前掲一三四頁。）*Das Kapital I, MEW.* Bd. 23. S. 790.（全集二三巻九九四頁。）

(55) K. Marx; *Ökomische Manuskripte 1857-58*, a. a. O., S. 401-402.（『経済学批判要綱』前掲一五三頁。）

(56) K. Marx ; *Theorien über den Mehrwert, MEW*, Bd. 26-II, S. 149.（全集二六巻Ⅱ一九四頁。）

(57) K. Marx; *Das Kapital III, MEW.* Bd. 25, S. 630.（全集二五巻七九五頁。）MEW. Bd. 25. S. 813.（全集二五巻一〇三二頁。）

(58) K・カウツキー編版『剰余価値学説史』の翻訳としては、大森義太郎訳、黄土社、一九四九年があるのみである。同書の第二巻二部を参照。また、土地所有を絶対地代から差額地代への歴史過程として理解するものに、綿谷赳夫「地代論の展開と土地所有」『資本論と帝国主義論・上』東京大学出版会、一九七〇年。椎名重明『近代的土地所有』東京大学出版会、第一章、一九七三年などがある。

(59) K. Marx; *Das Kapital III, MEW.* Bd. 25. SS. 748-749.（全集二五巻九五〇〜九五二頁。）なおエンゲルス方式の批判として、日高普『地代論研究』時潮社、ⅢC、一九六二年。

(60) 宇野弘蔵『経済原論・下』岩波書店、一九五二年、二一〇頁。なお差額地代Ⅱにおいて土地所有による制限を説く点では、宇野もマルクスと同じ限界を有しているといえる。

(61) K. Marx; *Theorien über den Mehrwert, MEW.* Bd.26-II, SS. 38-39.（全集二六巻Ⅱ四二頁。）

(62) V・I・レーニン「一九〇五〜一九〇七年のロシア革命における社会民主党の農業綱領」『レーニン全集』大月書店、一三巻二九九頁。なお、K・カウツキー『農業問題・上』岩波文庫、一四一頁にも同様の主張がある。

(63) 椎名重明編『土地公有の史的研究』御茶の水書房、第Ⅰ章、一九七八年を参照。

(64) 宇野弘蔵編『資本論研究Ⅴ利子・地代』筑摩書房、四二五頁、一九六八年。なお石井英朗「商品経済と私有制について」『地域と文化の周辺』社会評論社、一九八二年参照。

(65) 大内力『地代と土地所有』東京大学出版会、一九七九年、二一三〜二一六頁。

(66) K. Marx; Brief anF.Rassal am 22. Febr. 1858, *MEW.* Bd. 29, S.551.（全集二九巻四三〇頁。）Brief an F.Engels am 2. April 1858, *a. a. O.*, S. 314.（全集二九巻二四六頁。）Brief an J.Weydemeyer am 1.Febr. 1859, *a. a. O.*, S. 572.（全集二九巻四四八頁。）

(67) K. Marx ; *Theorien über den Mehrwert, MEW.* Bd. 26-1, S. 389.（全集二六巻Ⅰ五二六頁。）

(68) 川島武宜『所有権法の理論』岩波書店、第二、三章、一九四九年。

(69) 大内力『地代と土地所有』前掲、二二三頁。

(70) 市場価値論と地代の関係について、大内『地代と土地所有』第一章、宇野「市場価値論について」「相対的剰余価値の概念について」『宇野著作集第四巻』収を参照。また、下向序列の意義について、大内、同書二章三、四、六章三のほか、日高普『地代論研究（二版）』時潮社、Ⅲ七、八、九、一九七四年。

(71) K. Marx; *Das Kapital, Bd. III, MEW.* Bd. 25, S. 688.（全集二五巻八七〇頁。）

(72) 日高普『地代論研究』ⅢD、大内力『地代と土地所有』四章。

(73) 大内力同二二三頁。

(74) 鈴木鴻一郎編『経済学原理・下』東京大学出版会、一九六二年、三三二頁。

(75) 日高普 前掲書 四二五頁以下。

(76) K. Marx, *a. a. O.*, SS. 832-833.（同一〇五六頁。）

(77) K.Marx, *a. a. O.*, S. 629.（同七九五頁。）それゆえ、法学の「土地所有論争」において、近代的土地所有権のメルクマールを、土地所有権の資本家的利用権への従属、ないしは不動産賃借権の物権化に求める水本浩『借地借家法の基礎理論』一粒社、および渡辺洋三の『土地・建物の法律制度』東大出版会などの通説は首肯できない。土地の利用権が所有権に優越する法現象は、あくまでも現代資本主義における「社会法」的な弱者保護政策として具体化するものであろう。

(78) 榎本正敏編『二一世紀 社会主義化の時代』社会評論社、二〇〇六年。E・A・ポズナー他『ラディカル・マーケット 脱・私有財産の世紀』東洋経済新報社、二〇一九年。J・ハスケル他『無形資産が経済を支配する—資本のない資本主義の正体』同、二〇二〇年 など参照。

第Ⅲ部　国家論

一　方法としての日本資本主義論争

日本の社会科学史において頂点をきわめた「日本資本主義論争」も、もはや顧みられることの少ない、歴史上の一つのエピソードになってしまったようにみえる。

たしかにわが国においてこの論争がはなばなしく展開されたのは、二〇世紀の前半、それも一九二七年から一五年戦争に突入する直前までのほぼ一〇年間にすぎない。対象は文字どおり、戦前日本資本主義の経済から法・国家にいたる社会構造の総体的な解剖であった。わが国のように資本主義そのものが遅れて移入された国においては、一方で、高度に発達した金融資本的蓄積を実現するとともに、他方で、封建的・共同体的な社会関係が頑強に残り、両者の上に「絶対主義的」といわれる専制的国家権力機構が峻立するきわめて奇怪な社会システムが誕生する。資本主義とともに輸入された社会科学、とりわけマルクス主義の国家論は、もともと西欧近代世界をモデルに構成されたものであり、こうした特殊なタイプの社会を解明するにはまったく無力であったことはいうまでもない。

よく知られているように、マルクスの唯物史観の公式では、社会はアジア的、古代的、封建的、および近代ブルジョア的の生産様式を継起的にたどるものとされ、しかも国家はこうした社会構成に対応するいわゆる上部構造として位置づけられていた。

これをふまえて、エンゲルスは『家族・私的所有・国家の起源』において、アテナイ、ローマ、ゲルマンにおける各古代国家の成立過程を具体的にたどり、次のような見取り図を描いた、

「国家は、けっして外部から社会におしつけられた権力ではない。……それは、社会が解決できない自己矛盾にまき込まれて、自分では取り除く力のない、融和しがたい対立物に分裂したことの告白である。しかしこれらの対立物が、すなわち抗争しあう経済的利害をもつ階級が、無益な闘争のうちに自分自身と社会を消尽させないためには、外見上社会のうえに立ってこの抗争を和らげ、これを秩序の枠内に保つべき権力が必要となった。すなわち、社会からでてきながらも社会の上に立ち、社会からますます疎外されていくこの権力が、国家なのである。」

「国家は階級対立を抑制しておく必要から生まれ、だが同時にこれらの階級の衝突のただなかで生まれたものであるから、それは、通例、最も勢力のある経済的に支配する階級の国家である。(1)」

そして、いくらか含蓄のあるこのエンゲルスのテーゼを、レーニンは、「国家は、階級支配の機関であり、一つの階級による他の階級に対する抑圧のための機関である(2)」という単純で明快なドグマにまとめあげ、資本主義国家の原理にまで仕立てあげたのである。ほかでもない『国家と革命』における有名な階級国家論の確立である。

だが、こうしたマルクス＝レーニン主義の階級国家論のドグマを日本の現状分析に〝適用〟しようとするとなると、当時の天皇制国家の現実はこうした「ブルジョア国家」像とあまりにも大きくかけ離れており、土着化のための方法論はおろか、そもそも日本は資本主義社会と呼べるのか、そしてなにより、こうした日本社会と国家権力はどのような関係にたつのかが、まずもって論じられるべき大問題としてクローズアップされざるをえないのであった。

このような問題構成が、もはやマルクス主義のドグマの〝適用〟にもとづく国家論論争にとどまりえないのは言うまでもないであろう。そこには、戦前日本という特殊な社会をふまえた、市場および共同体と国家との複合的因果性の解明、さらには資本主義と国家の関係そのものの再検討にまでいたる、きわめてスリリングな挑戦が潜んでいたのである。

それゆえ日本資本主義論争という一見古めかしくみえるテーマは、決して戦前の日本社会の現実分析にとどまらない。そこには、日本および西欧で提起されたマルクス主義国家論の、戦後から現在にまでいたるほとんどすべての先端的プロブレマティクが網羅され凝縮されているといっても過言でないだろう。

第Ⅲ部では、戦前日本における講座・労農両派の国家論論争を素材として、マルクス主義国家論の最終的な破綻を見定めるとともに、そこに残された国家理論の最良質の部分を二一世紀の現代にどのように継承すべきかを考察することになる。

二　日本資本主義論争の国家論

1　論争のバックグラウンド

まず、論争の前史をなす一九二〇年代以前の日本資本主義のアウトラインを、工業の発展、農業問題、国家の機構に分けて簡単に鳥瞰しておく。

工業の発展

日本では、すでに江戸幕藩体制下において、両替商・掛屋・札差などの商人や高利貸資本が一定の発展を示していた。また、商業的農業の展開によって本百姓層に階級分化がみられ、商人請負の新田開発によって農民の半プロレタリア化が進行していた。さらに、城下町や門前町などの都市市場の発達は、職人層による工業生産とともに、農村を絹・綿織物などの副業によって問屋制家内工業のもとに編成し、しだいに封建社会の基礎を掘り崩しつつあったといえる。

しかしながら、一八六七年の徳川体制の崩壊は、国内資本の自生的な発展によって必然化したものではない。それはなにより、幕末期日本に開国を迫る諸外国の圧力によって、したがって、帝国主義的な海外進出をすすめていた西欧資本主義が急激に日本へ流入することによって、生じたのである。工業製品および機械技術の移入の拡大は、自給的な家内工業の解体を加速し、資本の原始的蓄積の過程を大きく短縮するものであったといえよう。

日本資本主義は一八八〇年代の末には、紡績・製糸・綿布などの軽工業部門でいわゆる産業革命を経過し、独占体としての飛躍的な発展を示した。当時ヨーロッパ諸国がすでに生産の基軸を重工業に移しつつあったこともあって、日本は、国家資本が主導する軍事的進出にリードされ、綿業では九七年以降東アジア市場において優位を確保していた。しかしこれに比べて、直接に欧米と対峙せざるをえない重工業部門は立ち遅れ、官営製鉄所などいくつかの軍工廠を中心にして一定の発展をみたにすぎなかった。

こうした展開のうちに日本資本主義は、日露戦争から一九〇七年恐慌をへて第一次大戦にいたる慢性的不況期をむかえることになる。この時期には、戦争による輸入の途絶もあって、製鉄・造船・機械などの民間重工業が勃興し、株式会社形式をつうじた資本の集中と銀行の肥大化が始まる。三井・三菱・住友をはじめとする財閥資本の重工業への進出が始まり、カルテル協定からコンツェルンを形成することによって、一族の個人会社を、財閥本社と傘下諸事業とにピラミッド型に組織配分する企業形態が普及する。日本における銀行と産業企業の融合すなわち金融資本はこれを中核にして急速な発展を示したのである。

農業問題

以上のように日本資本主義は、明治維新から四〇年余りのあいだに、西欧資本主義二〇〇年の過程をいわばミニチュアとして経過したかにみえる。だが日本は、じつはその初発からヨーロッパと異なった特殊な発展のプロセスを宿命づけられていた。

著しい後発資本主義国としての日本は、関税自主権の欠如とあいまって、出発点から先進諸国との激しい競争のもとに置かれ、高度な機械技術と株式会社制度の移入によってこれに対抗していくしかなかった。こうした小規模でしかも急速な資本構成の高度化は、工業における労働力の吸収力をきわめて限られたものにとどめ、半プロレタリア化した農民の挙家離村を不可能にした。多数の過小農は、一町歩ほどの零細経営に縛りつけられ、その競合は農産物価格の低廉と小作料の高率化を避けられないものとしたのである。

一八九〇年代に入ると、松方デフレと銀行制度の完成によって、産業循環はおのずから過剰労働力を形成し、また繊維にかたよった機械工業の発展は吸収しうる労働力を主として女子に限定する傾向を示す。さらに、貿易における入超補塡のために食料自給化政策が採られ、これが、明治維新いらい堆積していた潜在的な過剰人口をいちだんと農村に滞留させることになった。こうして農業は資本主義化するどころか、逆に小作関係は強化され、地主の手作経営（豪農経営）はいわゆる寄生地主制へと転化していったのである。

そのうえ一九〇七年以来の慢性不況下において、工業部門では独占組織が商品価格の低下を阻止するが、農業部門では、植民地からの安価な農産物の流入に抗することができず、商品価格をいっそう押し下げる。また工業の投資制限は、農村に過剰人口の堆積をますます押しつけることになる。こうした農業問題は第一次大戦後さらに深刻さを増し、農村の疲弊を一層先鋭化していった。当時の日本資本主義における構造的な矛盾は農村に集約され、農民の貧窮や餓死、子女の身売りや一家離散さえもが日常的な光景となっていった。

すなわち、日本の帝国主義的な発展そのものが、都市の資本主義的な「近代法規範」と農村の「前近代的な封建的規範」との二重構造をより深く刻印することになる。天皇制国家は、こうした社会の分裂に対する〝幻想共同体〟的な統合を担うものとして完成したのである。

国家の機構

そのうえ、日本が、一九世紀末という世界史における金融資本確立期に資本主義化したということは、外に向かって西欧諸国の世界分割に対抗しうる帝国主義国家として初めから自己形成せざるをえないことを意味する。このことが日本の法および国家機構の特殊性を大きく規定することになった。

たしかに明治維新は、地租改正と秩禄処分によって旧領主権を廃止し、一物一権の近代的所有権の法認によって資本主義的商品経済の基盤を整備した。

しかし維新の問題性は、第一に、こうしたブルジョア革命自体が同時に、鎖国体制で未完成であった中央集権権力の確立というヨーロッパ史において近世絶対王制期に属する課題をも、同時に達成しなければならなかった点にあろう。じっさいそれは、列強の包囲下において被植民地化を防ぐのみならず、世界市場への積極的参入をはたすべく、強力な「富国強兵」「殖産興業」という重商主義的政策としてあらわれざるをえない。こうして古代の神話的権威である天皇が立法・行政・司法の万機を総判する太政官正院制が敷かれ、その「絶対主義」的専制のもとに封建的分権を打破し、全国を単一の法システムのもとに統合する近代化が図られたのである。

一八八九年の明治憲法はこうした中央集権権力の法的体系化であった。それはたしかに、産業革命の一定の展開に即応するものとして一面で立憲君主制への性向をもつ。しかしながらこの憲法は、天皇に唯一の統治権の総攬を認め、行政にかんする大臣の輔弼は天皇に対してのみ責任を負うものとされる。また天皇の諮詢機関として枢密顧問が設置され、そのうえ、軍の統帥権の独立が規定されている。こうした立法の羈束から解放された「天皇大権」の存在はまさに、産業資本の自律性が弱く、天皇制官僚の保護とイニシアティヴのもとに育成された日本資本主義の特殊性を典型的に表現するものであったといえよう。

さらに注意すべき問題の第二は、わが国ではこうした資本主義の育成政策そのものが金融資本的蓄積を特徴づける帝国主義政策とほぼ重なってあらわれる点である。

一般に「帝国主義」と呼ばれる国家においては、対外的には植民地政策に代表されるムチとしての軍事政策、国内的には先鋭化した社会問題に対処するアメとして行政権の集中と裁量の拡大が要請される。だが、わが国においては、こうした帝国主義的特徴をしめす「立法」に対する「行政」の優位が、そのまま中央集権的な国家権力の確立という原始的蓄積を強行する任務をも担わざるをえなかった。それゆえ、立法府である議会は二重に制約を受けざるをえない。明治憲法において議会の予算審議権と承認権は天皇大権によって制約され、法律案もその裁量権に拘束される。また、天皇の勅任議会である貴族院の存在とあいまって、衆議院は、内閣を十分にコントロールすることができず、天皇の立法権を協賛する機関にとどまったのである。

こうして、膨大な官僚機構から最上層の神聖天皇の君臨にいたるこの無比の全一的権力は、議会を介さずに、底辺においては後発資本主義そのものが生み出した農村の家父長制的「共同体」イデオロギーによって直接に支えられていたといってよいだろう。

したがって二〇世紀初頭の慢性不況下における農民の困窮と争議の多発は、まさに天皇制国家の正統性の危機そのものであり、こうした厖大な農民層の獲得をめぐって天皇制権力と社会諸運動との対峙が始まる。日本においてマルクス主義は、こうした社会関係を総体的に分析しうる理論として、ようやく注目され始めることになるのである。

2　論争の提起したプロブレマティク

日本の社会科学は、明治維新いらい堰を切ったように移入される近代的ライフスタイルとともに、文字どおり舶来の思想としてスタートした。それゆえ明治期の社会科学は、こうした脱亜入欧を合理化し正当化する学問、あるいは逆に、急速な近代化の矛盾への対処療法としてのプラグマティックなツールでしかありえなかった。後進国であるわが国では、イギリス系の自然法思想や古典派経済学が定着せず、法学・政治学が、R・グナイスト、A・モッセ、L・シュタインなどプロイセン憲政学の紹介として始まり、経済学が、もっぱらF・リスト、W・F・ロッシャー、A・G・ワーグナーなどドイツ歴史学派の社会政策の輸入として開始されたのは理由のないことではない。

これはトータルな学問としてのマルクス主義についても同様であった。

明治末に、金本位制の確立と綿糸紡績業の発展を基礎にして日本資本主義が一体制として確立するとともに、わが国においても無産者運動が芽生え、マルクス主義の古典は、これを基礎づける数多の社会思想の一つとして、高畠素之・河上肇・堺利彦らの翻訳と啓蒙によって輸入された。そして日露戦争前後の日本の急速な帝国主義的発展は、一九一七年のロシア革命のインパクトおよび一八年恐慌の勃発とともに社会主義的運動の飛躍的な拡大をもたらし、ここに初めて資本主義の総体を解剖するためのパラダイムが要請される。日本のマルクス主義は、大正デモクラシー下のいわゆるアナ・ボル論争をへて、ようやくその風土に適応した理論へと大きなターニング・ポイントを迎えることになるのである。

しかしながらわが国のマルクス主義の不幸は、それが日本社会固有の構造分析をはたしうる客観的公準の創造としてではなく、つねに党派的運動と直結した変革のツールとしてしか現出しえなかった点にあろう。じっさい日本の現状分析は、一九二二年にコミンテルン日本支部として創設された日本共産党の綱領規定をめぐる論争としてスタートした。以後二七年頃から約一〇年間、この論戦は、日本の経済・法・歴史学者そして運動家を総動員した、わが国の社会科学史上最大規模の論争へと発展していくのである。一般に「日本資本主義論争」と呼ばれるものはこれを指す。

それゆえこの論争は、初発においては日本革命をめぐる政治的な戦略論争というかたちで開始されざるをえない。それは、ブルジョア民主主義革命から社会主義革命への発展という二段階戦略の方針をとる日本共産党の立場に対して、一段階の社会主義革命を主張する大衆運動家たちの反駁を契機に始まった。論争はやがて両者の戦略を基礎づけるべく、日本資本主義自体の構造分析をめぐる社会科学的な議論へと発展していくのである。前者が、『日本資本主義発達史講座』(一九三二〜三四年 岩波書店）にちなみ、一般に「講座派」と呼ばれ、これに反対する後者が、雑誌『労農』（一九二七年創刊）に集うため、「労農派」と呼ばれたのは周知のことであろう。講座派の理論家として野呂栄太郎・山田盛太郎・平野義太郎・服部之総・羽仁五郎など、労農派としては山川均・猪俣津南雄・櫛田民蔵・向坂逸郎・土屋喬雄などを挙げることができる。(3)

もちろん講座派・労農派と一口にいっても各人の主張は多様であり、論点も革命戦略論から現段階論・農業問題論・幕末維新論、そして天皇制国家論にいたるまで多岐にわたる。しかしもっとも根本的な対立点は、当時の日本資本主義が色濃く帯びていた農村の封建的要素と、それに対応する国家権力の専制的ないし絶対主義的性格をいかなるものとして理解するか、にあったとみることができよう。先にみたように、明治維新の変革によって封建大名の土地に対する領有権は廃止されたが、江戸後期以来の地主制はかえって強化され、それは日本の農業にながらく停滞性を刻印するものであった。農民層の分解や農業の資本主義化は進まず、現物小作料と小農経営によって農村に前近代的・「共同体」的な慣行が強固に存在し、その上には強大な天皇制の国家権力がそびえたっていたのである。

講座派は、これを経済外強制にもとづく半封建的土地所有と規定し、日本資本主義は、こうした半農奴制的零細農を支配する封建地主と都市の資本家階級との勢力均衡の上に成り立つものと規定した。それゆえ天皇制国家は、この両者に依拠しつつそれらから相対的に独立した権力として、西欧において封建制から資本主義への過渡期に成立した「絶対王制」に照応するものとみる。明治憲法にみられる天皇大権の専制性は、まさに前近代的な絶対主義の法的表現にほかならない。つまり、明治維新はブルジョア革命ではけっしてなく、純粋封建制から絶対王制への権力の再編にすぎないことになる。

他方、労農派はこうしたロジックを次のように批判した。資本主義の成立はなによりも封建制の解体にもとづくものであり、封建的土地所有の上に形成される資本主義などという化け物は存在しえない。地代の高率性と現物性は経済外強制によるものではなく、農民の土地を求める過剰な競争のせいであり、すでに農民の意識において地代は貨幣化されている。それゆえ維新後の新地主や零細農も、近代的土地所有を前提とした資本家的農業への過渡的形態であり、資本主義の発展とともに、まもなく分解を遂げ消滅していくはずである。このことは国家権力についても同様であり、それがなお絶対主義的な遺制を残しているにしても、基本的にはブルジョア国家の一形態としての「立憲君主制」にほかならない。つまり、明治維新は、不徹底な側面をもつが原則的にブルジョア革命と規定されることになる。

以上の論争についてあらかじめ〝今日〟の時点から評価を述べるならば、日本資本主義の経済的基礎の分析に限っていえば、ひとまず労農派に分があったといえよう。講座派は天皇制権力との闘争という共産党の政治的実践に拘束されていたために、国家権力の絶対主義的性格から日本資本主義の半封建制を類推するという逆立ちした方法を採らざるをえなかった。そこから封建的土地所有を論証するために、鎌上げ・立毛刈取り方の禁止・小作株取り上げといった「経済外強制」の神話を捏造せざるをえなくなる。この点において講座派は、天皇制国家の経済的基礎の分析そのものに成功していない。

では労農派は、維新後の日本がまごうかたなき資本主義であるというその限りで正当な提起をなしたが、そこから天皇制国家の性格の分析に正しく接近しえたであろうか。それは、社会が経済的に資本主義である以上国家はブルジョアジーの権力であるという公式的ドグマを主張するのみで、日本資本主義の特殊性をまったく無視するものであった。封建遺制としての天皇制は資本主義のさらなる発展によって間もなく消滅するはずだという、オプティミスティックな展望が述べられたにすぎない。このコンテキストにおいて、少なくとも国家権力の政治的評価については、はるかに講座派の方が大衆の日常感覚にフィットするものであったことは否定できないであろう。

総じて両派とも、西欧先進国をモデルとした封建制—絶対王制—資本主義という唯物史観の発展論的シェーマ、および経済的な生産様式と政治的な国家論とを短絡的・機械的に結びつける経済還元主義的な階級国家論のドグマから自由ではなかったのである。

それゆえ私たちは、論争のテーマを次のように書き換えなければならない。

すなわち、日本資本主義はその高度な発展にもかかわらず、いな、むしろそれゆえにこそ、絶対主義的な天皇制国家をうみだした。これはいったい何故なのか、と。そしてそれは、一九世紀末のドイツ修正主義論争や二〇世紀初頭のロシア・ナロードニキ論争と同様に、マルクスやエンゲルスの古典の直接的な〝適用〟からは遂に説くことのできないプロブレマティクであった。したがってそれはまさに、二〇世紀末から現代にまでつづくN・プーランザス、B・ジェソップ、J・ヒルシュらによる「国家の相対的自立論争」を先取りした論争であったともいいうるのである。

いま私たちはこの問いに答えるべく、「日本資本主義論争」の再検討を素材として、資本主義国家の現代的発展過程および経済・法・国家の関連にかんする新たなパラダイムを自覚的に構築していくことが要請される。

次に、こうした視点からこの論争における国家論論争史をたどってみることにしたい。

3　日本における国家論論争の原型

マルクス主義国家論の輸入

わが国において国家論の構築はどのようにして始まったのであろうか。

それはまず明治時代の末、高野房太郎・片山潜・安倍磯雄そして幸徳秋水や森近運平によってマルクス主義国家論の輸入として開始されたといってよいだろう。だがそれは外国思想の一つの紹介としてのレヴェルにとどまり、日本の国家権力固有の特質を分析しうる水準のものではなかった。日本国家論のさきがけは、大逆事件による冬の時代をへたのち、一九一九年以降のいわゆる大正デモクラシー下における社会主義運動の復興とともに、堺利彦の『唯物史観の立場から』や山川均の『社会主義の立場から』などによる啓蒙によって始まる。そしてこれらの社会的影響のもと、一九二二年、革命ロシアからの働きかけを契機にして第一次共産党がついに結成をみるのである。

注目すべきは、この党の方針を基礎づけるべく、はじめてマルクス主義にもとづく日本国家の分析が開始された点であろう。

一九二二年の極東民族大会における片山潜の日本にかんする現状報告「日本の政治経済情勢および労働運動」およびG・N・ヴォイチンスキーの論文「日本における階級決戦」、そしてこれらを参考にして作成された共産主義インターナショナル（コミンテルン）の「日本共産党綱領草案」がそれである。

片山報告は、日本の国家権力が天皇の神聖性と官僚主義によって特徴づけられること、議会とブルジョア政党が無力であることなどが列挙され指摘されているだけであり、いまだ日本の国家権力に対する厳密な規定が与えられているわけではない。これに比べて「日本共産党綱領草案」は、当時N・I・ブハーリンの指導により作成中であったコミンテルン世界綱領に依拠して、初めて日本国家の鳥瞰図を描いた画期的文書であったといってよい。草案は述べる、

「封建制度の残存物は今日なお国家機構において優位を占めており、国家の機関はいまだ大土地所有者と商工ブルジョアジーのブロックの手に握られている。国家権力の半封建的特性は、貴族が憲法において占める重要かつ指導的な役割によって鮮明に示されている。(4)」

この草案においては、しかし、日本政府の元首としての天皇という概念はあっても天皇制という包括的権力形態の分析はなく、国家権力の問題がそのまま経済的な支配階級の構成に還元されていた。地主とブルジョアという官僚の出自を併記するのみで、両者が国家権力のシステムといかなる関連にたつのかはまったく不明確である。そこからは、ブロック権力論という封建制と資本主義とを接木したはなはだ曖昧で折衷的な権力概念がつくられるしかなかった。また戦略論としても、「ミカド政府の転覆と君主制の廃止」という過渡期的スローガンが掲げられ、自由主義ブルジョアジーの広汎な部分も反政府的な立場にたつという願望から、いわゆる二段階戦略論が提起されたにとどまったのである。

このことは、綱領草案がいまだ日本の現実の現状分析から構築されたテーゼではなく、ロシア革命の経験からの類推によって日本の変革を展望した外国製の輸入文書にすぎなかったことを意味していよう。

ともあれ、大逆事件のショックが褪めやまないこの時期に「ミカド政府の転覆」を大胆に提起したことは、それだけでこの文書が水準の高いセンセーショナルなものとして一部の知識人には受けとめられた。それゆえにまた、タブーを破った君主制に対する死活的挑戦は、アイロニカルにも党内においてさえ堺利彦や佐野学らの時期尚早という反対意見を生み出さざるをえなかった。けっきょくこの草案は審議未了のまま、一九二四年三月、第一次日本共産党そのものの解散によって葬り去られたのである。

山川均の国家論

さて日本共産党の早産と、関東大震災を利用した甘粕・亀戸事件による大杉栄らの虐殺の衝撃、そして折からの第二次護憲運動と普通選挙運動の高揚のなかで、一九二四年以降、日本の社会主義運動は合法的・大衆的な転換期をむかえる。これを代表する理論家が山川均である。山川はすでに一九二二年の論文「無産階級運動の方向転換」(前衛七・八月号)において、観念的な革命政党の建設を否定し、先進部分が遅れた大衆のなかに帰ることを主張して「協同戦線党」の構築を提起していた。これを基礎づけるべく二四年の著書『無産階級の政治運動』において日本国家の構造分析に挑むことになるのである。

山川の特徴は、二二年草案と対照的な、あくまでも日本の現状認識に即した国家論の提示であろう。

山川はまず、明治維新に封建貴族政治に対するブルジョア革命としての性格を認めつつ、当時はブルジョアジーが幼弱であったため官僚軍閥政治が成立したとする。しかもそののち急速に発展した日本の独占ブルジョアジーは、この過渡的中間政府と正面から戦って権力を確立するのでなく、封建勢力を「借り倒」し「抱合」し「同化」することで、なし崩し的にブルジョア政権に移行させた。それゆえ貴族院、枢密院、さらにもっとも重要な封建遺制である天皇制そのものが外形的には手を付けられず、そのままブルジョア権力の一部を構成する要素に転じている、という。この根拠として、維新後五〇年における商工業の急速な発展と国民経済に占める農業の役割の縮小、地主自身のブルジョアとの同質化、普通選挙制による農民・小ブルジョア層の独占ブルジョアジー勢力への隷属、といった分析が試みられる。

さらにこの山川の論文のメリットは、そのユニークな状況認識にあろう。

彼は、日本のブルジョアジーが官僚軍閥の後見から脱し政権を握ったとき、日本資本主義はすでに世界資本主義の大勢に規定され反動的帝国主義の段階に達していたとして、日本ではイギリスのようなブルジョア・デモクラシーの安定期を通過することはありえず、憲政擁護と普選運動は必ず官僚軍閥との妥協に終わるという。それは、のちの労農派と異なって、後発資本主義の政治プロセスにかんする卓抜した洞察であった。それゆえ、無産階級の闘争を小ブルジョア政治運動に従属させることなく独立した政治勢力に結集する、いわゆる「協同戦線党」としての単一無産政党の結成という独特の組織論が提起されることになったのである。

しかし残念ながら山川は、この視点を国家の構造的把握にまで深化させていない。それどころか山川は、一九一八年の米騒動後における原敬内閣の成立をもって、実質的にブルジョアジーが権力を握ったものとみなして、天皇制国家の問題を一蹴してしまうのである。彼によれば、政友会内閣は財閥・大資本・大地主を代表する純然たる政党内閣であり、ブルジョアジーが官僚軍閥権力を「借り倒した」ことの証拠であるとされる。

ここにみられるのは、国家権力を内閣組織に矮小化し、天皇制国家の総体を資本主義的権力として把握する視点の欠落である。それは、二二年草案と同様に、国家の問題を経済的支配に還元し、ブロック権力の枠内で政党内閣制をつうじて、ブルジョアジーが地主よりも勢力を伸張させたというにすぎない。こうしてその戦略は、「われわれの政治闘争の対象は帝国主義ブルジョアジーの政治権力である」(5)ということにならざるをえない。

すなわち、独占的金融資本の段階においては、国家権力の実質的担い手も帝国主義ブルジョアジーでなければならないという、安直なレーニン的階級国家論のドグマが提起されるにとどまるのである。このような山川国家論は、天皇制国家のプロブレマティクが完全に抜け落ちたその後の労農派国家論の悪しき原型をかたちづくるものであったといえよう。

福本和夫の国家論

さて山川均における天皇制権力論の欠落と前衛党否定論は、当時活動を始めつつあった共産党再建運動と全面的に対立することになり、ここに一九二六年に再建された日本共産党を代表する福本和夫の山川批判が登場する。一般に福本イズムと呼ばれる少数インテリ主導による「結合の前の分離」にもとづく純粋前衛党組織論がそれである。

福本は、日本国家の現状について、一九二六年の論文「労農政党と労働組合」(マルクス主義一月号)において山川に対する批判を展開した。

福本は、明治維新は完全なブルジョア革命ではありえず、日本のブルジョアジーはいまだ絶対主義的専制勢力を打破し切れていない。こうした状態のまま、日本は世界資本主義とともに「資本主義の最後の段階としての帝国主義」段階にあり、一九一八年以降は強烈な没落過程をたどっている、という。それゆえ、政党内閣制の不徹底のゆえに、天皇制は絶対主義のままファッショ化する危険をはらんでいる。このような階級配置のもとでは、プロレタリアートは組合主義を脱しブルジョア民主主義を闘いとる先鋭な政治闘争を展開せねばならず、それは同時に、「それ自身の内的不可避な弁証法によって、ブルジョアジーの打破にまで転換し発展しうる」(6)と主張する。

K・コルシュやD・I・ローゼンベルクらドイツ共産党左派による急進没落論の直輸入にもとづくものとはいえ、ここに定式化された二段階戦略論が独自の国家論に支えられていた点は重要であろう。戦後の福本の回想によれば、維新後の日本国家は絶対君主制で、「天皇自身は土地貴族を代表しているが、土地貴族と資本家階級の権力平衡の上に独立性をもって臨んでいる」(7)。それゆえ、最初から保護政策によって資本家階級の育成に努めたのが日本の君主制である、とされる。ここにわが国の国家論論争史上初めて、階級均衡論にもとづく「天皇制=絶対主義論」が登場したのである。

エンゲルス『家族・私的所有・国家の起源』やカウツキー『フランス革命時代における階級対立』

の有名な定式によれば、絶対主義とは、旧支配階級である封建貴族と新興のブルジョアジーが勢力均衡状態にあるとき、両者の対立から独立した見せかけの調停者として登場する超越的権力であり、それは先にみた「通例の階級国家」に対する「例外国家[8]」をなすと規定される。

もちろん福本の没落論は、たんに第一次大戦後の慢性不況を素材にした程度で、国家の政策や権力機構の変化をふくむ総体的な現状分析に根拠をもたないイデオロギー的プロパガンダにすぎない。また、絶対主義国家とファシズムというまったく異質の水と油というべきカテゴリーを結びつけるロジックが十分に示されているわけではない。しかし福本が、このエンゲルスの定式に着目してではあれ、レーニン流の単純な「支配階級の国家」ではない〝国家の相対的自律性〟に、はじめて着目したことは正当に評価されてよいだろう。じっさいそれは、二二年草案のブロック権力論あるいは山川のブルジョア権力論と異なり、日本資本主義の発展をふまえ、しかもブルジョアでも地主でもない「例外的」な「第三権力」の構造に迫ろうとした苦闘の所産だったのである。

二七年テーゼの国家論

ところで山川イズムと福本イズムの対立は、日本国家の現状分析によってではなく、外的な国際的権威によって解決されることになる。一九二七年にブハーリンを中心に作成された「コミンテルン・日本にかんする委員会テーゼ」は、山川を清算主義、福本をセクト主義として両面批判し、日本の変革に対する実践的指針を提供すべく新たな国家論を提示する。この二七年テーゼは述べる、

「日本の国家権力は資本家と地主のブロックの手中にあり、しかもそのヘゲモニーは資本家にある。日本においてブルジョアジーは全国家機構を、そのあらゆる封建的特質と残存物のままに資本家的搾取の維持と擁護のために広範に利用している。(9)」

それは大筋において、福本の絶対主義国家論からふたたび二二年草案型のブロック権力論へと回帰するものであるが、しかしこのテーゼの特徴は、日本の過去六〇年間の発展の結果としてブロック権力の内部におけるブルジョア・ヘゲモニーを承認するところにあろう。すでにコミンテルンはこの前年に「日本問題にかんする決議」(いわゆるモスクワ・テーゼ)を発表し、山川の帝国主義論を大幅に取り入れて一九二〇年代における日本資本主義の質的変化を認めていた。二七年テーゼは、これを二二年草案に接合し、資本主義の発展を、維新以来の地主・ブルジョア国家内部における権力構成の変化に帰着せしめるものであった。

ここにおいては、当然にも福本に萌芽的にみられた国家の相対的自立性にかんする分析は消滅し、ふたたび国家権力は経済過程における支配階級の問題に還元される。

しかもいっそうの問題は、二七年テーゼは二二年草案と同じく、当面する任務をブルジョア革命と規定し二段階戦略を採用していることであろう。国家がブルジョア権力へ変質した後も、「国家機構に異常に大きな役割を演じている封建的諸要素、宮廷閥と軍閥」の存在を認め、これらを国家機構から排除し君主制を解体することにブルジョア革命としての意義を提起するのである。いうまでもなく、ブルジョア・ヘゲモニー権力を承認しながら、これに対してブルジョア革命を提起するのは戦略論として成り立たない。国家論としてもまた初歩的な混乱を示している。そこでは天皇制も、国家権力の総体的な規定としてではなく、たんに土地・株式会社・銀行を所有する天皇家という権力ブロック内部の経済的一要素としてしか捉えられていないのである。

この国家論と戦略論におけるギャップは、まさに、一九〇七年恐慌から第一次大戦にいたる不況過程での民間重工業の勃興と資本集中や銀行の肥大化、そして山東出兵に向かう資本主義の帝国主義的政策の実施という冷厳な現実をみすえて、しかも天皇制権力との非合法な闘争を組織せざるをえない、公認マルクス主義の限界を率直に告白するものだったというべきであろう。

ともあれ二七年テーゼが、資本主義の発展と天皇制国家の存在という誰の眼にも明らかな現実を、いかに不整合であれいずれも過小評価することなく追求する姿勢は、山川・福本の双方を抜きんでているものと一般に評価された。じじつ、同テーゼの資本主義国家分析（ブルジョア・ヘゲモニー論）は、山川を中心に荒畑寒村・猪俣津南雄・青野季吉・小堀甚三らに鈴木茂三郎・黒田寿男ら『大衆』の同人を加えた二七年の雑誌『労農』創刊への大きなはずみとなった。また他方で、同テーゼの戦略論（ブルジョア革命論）は、これに対する渡辺政之輔・高橋貞樹などの日本共産党による反天皇制の実践運動を根拠づけるものともなったのである。[10]

それゆえ二七年テーゼは、三一年テーゼ草案が出るまで、両派のマルクス主義の理論と実践に大きな影響を与え、日本の現状分析からテーゼをみるのではなく、テーゼの規定から現状を裁断するドグマティズムの悪弊が、その後の日本のマルクス主義に体質化することにもなったのである。

三　国家論論争の展開

1　帝国主義論と国家論

国家論論争のオーソドクシー

二七年テーゼ以降における日本の代表的な国家論の理論家として、猪俣津南雄と野呂栄太郎を挙げることができる。この二人には、たしかに、その後さまざまのヴァリエーションを生みだす労農・講座双方における国家論のオーソドクシーが、もっともシャープなかたちで見られるといってよいだろう。

まず猪俣は、一九二七年の論文「現代日本ブルジョアジーの政治的地位」において福本以来の天皇制絶対主義論を批判していう、

「封建的絶対主義的に動くところの政治諸勢力は、もはやそれみずからの遺制とイデオロギーを通じて作用しうるにすぎない。(11)」

徳川幕藩体制にはすでに絶対主義的性格が認められる。だがそれは維新の革命によって、それ自身の階級的基礎を喪失し、維新政府の歴史的使命は、資本主義の急速な移入と発展によって、後進国日

本を「競争に運命づけられた資本主義世界の一環ならしめる」ことにあった。それゆえ政府の土地政策は、資本主義化のさいの根本的障害である旧特権を破壊し、封建的土地所有の成立根拠を不可能にならしめるものであった。なるほど猪俣も、わが国おいては「封建的絶対主義の強き残存」を認める。だがそれは、枢密院・帰属院・参謀本部・帷幄上奏などの制度的表現、とりわけイデオロギーとしての残存でしかない。貴族・軍閥・官僚・大地主など日本の絶対主義勢力は、バラバラの諸要素に総括的に与えられた名称にすぎず、統一的勢力が実在するわけでなく、肝心の物質的基礎である大土地所有制を欠いている、というのである。

これに対し、「封建的絶対主義的国家機構の物質的基礎」の現存を強調して反論したのが、いうまでもなく野呂栄太郎であった。野呂は猪俣論文の書評において述べる、

「問題は大土地所有制か、小土地所有制かにあるのではない。要は、生産手段としての土地の所有者が直接生産者に対して占める直接的関係にある。[12]」

したがって地主が絶対主義勢力としての物質的基礎を喪失しているか否かは、地主と直接に対立している階級が「資本家としての小作農業者であるか、それとも直接生産者としての小作農であるか」によって判定されねばならない。わが国の地主は小作農に土地を貸与しているのであるから、絶対主義の物質的基礎は喪失していない。むしろこんにち地主が全剰余労働ばかりか必要労働からの控除部分まで搾取するのは、「自由契約」の粉飾にもかかわらず封建的伝統的な「経済外強制」にもとづく

ものである。野呂は、ここに「日本における絶対専制支配の半封建的国家形態の根強き物質的基礎」をみいだすことになる。

さらに野呂は、一九二九年の論文「日本における土地所有関係について」で猪俣批判のトーンを一層上げて、有名な国家最高地主説を展開する。彼は、『資本論』第三巻四七章二節の、「土地所有者であると同時に主権者として、直接彼ら（農民）に対立しているものが、私的所有者ではなく、アジアにおけるがごとく国家であるとすれば、地代と租税は一致する」(13)という一文を引用し、マルクスの古代アジア的生産様式論を、明治維新によってもたらされた日本の政治的支配の定式化として強引に読み込むのである。野呂はいう、

「一九二〇年代日本においても国家は最高の地主であり、主権は国民的範囲に集積された土地所有である。地租は封建地代となんら異ならない苛酷な隷属を表現し、兵役さえ国家に対する一種の労働地代を意味する。(14)」

以上の両者の天皇制国家論に、労農派の封建遺制論と講座派の絶対主義論の原型を見いだすのはたやすい。だがしかし、この両者には、俗耳になじむ単純な「ブルジョア国家」か「半封建的国家」かのオール・オア・ナッシングではない重要な指摘が伏在している点に注意を喚起しておきたい。これらのプロブレマティクにはなにより、世界の資本主義が帝国主義的発展を示す時期における日本の後発性をふまえた国家論として、二七年テーゼにも三二年以降の論争にもみられない論理の重層性と視

点の複眼性が認められるのである。

猪俣津南雄の国家論

猪俣の国家論のバックボーンは、なんといってもいち早く一九二五年に著書『金融資本論』を発表し、その後これを基礎にした独自の日本の現状分析を開始していた点にあろう。猪俣のこのデビュー作こそは、唯物史観や『資本論』の適用の水準にとどまっていた既存のマルクス主義のレヴェルに対し、初めて〝帝国主義〟という新たな分析枠組みの必要を知らしめるものであり、戦前日本の社会科学に最大のいわばパラダイム・チェンジをもたらすものであったといってよいかもしれない。

しかしそれは良くも悪しくも、いまだR・ヒルファーディングの『金融資本論』を模写し紹介するレヴェルにとどまるものであった。猪俣は、『資本論』の再生産表式の延長上に、資本の競争による構成の高度化と利潤率の低落を説いて、固定資本の増投から資本の集中集積、さらには株式会社による資本結合と独占の形成を説明する。そのうえで利潤率の低落傾向を克服すべく、資本信用の大規模化と銀行のイニシアティヴによる産業支配までをも展開するのである。(15)

こうした『資本論』と『金融資本論』のストレートな接合は、彼が金融資本の政治的表現とみなす帝国主義国家の分析に大きな制約を課すものであった。すなわちこうしたロジックにおいては、金融資本による重工業的蓄積はなぜ個人産業資本の生産力が発展したイギリスなどの先進国でなく、後発資本主義国にこそ典型的にあらわれたのかを解明できず、そしてまた、この株式会社の不断の資本構成の高度化による労働人口の過剰化とそこにおける中間階級の未分解と農業問題、つまり国家権力における「絶対主義」的支配形態の国内的基礎の分析をまったく欠落させてしまうのである。

他面で、その国家論のメリットもまた、ヒルファーディングに依拠した帝国主義論にあった。猪俣は、一九二九年の論文「金融資本と帝国主義」において、一八世紀以来のイギリスの自由貿易政策に対して、ドイツをはじめとする後進国がこれに抗すべく保護政策を採らざるをえないこと、そして綿工業におけるイギリスの世界支配に対してドイツは鉄鋼を中心とした重工業株式会社を発展させ、一八七九年いこう投資銀行に支援されて、育成関税からカルテル関税に転化して金融独占体を編成する、といった正当な世界史的構造連関を分析する。[16] ここにおいては、イギリスの海外投資に対する新興国ドイツの強権的海外進出と国家権力の反動化の根拠も、政治過程としてはほぼ正確に把握されているといえる。

ちょうどこうした時期に猪俣の前に現れたのが、高橋亀吉の「プチ帝国主義論」であった。周知のようにレーニンは自らの『帝国主義論』において、帝国主義が成立するメルクマールとして、①生産の集積による独占体の形成、②銀行による産業資本に対する金融寡頭制、③商品輸出に代わる資本輸出、④資本家の独占体による世界分割、⑤列強国家のあいだでの地球の領土分割、の五つを挙げていた。高橋は、一九二七年の論文「日本資本主義の帝国主義的地位」において、日本はレーニンが列挙したこの五つの標識にあてはまらず、いわば〝プチ帝国主義〟にすぎない。したがって日本の無産階級はブルジョアジーと闘うのでなく、植民地・半植民地など被帝国主義国と協力して欧米の大帝国主義に対する反帝運動を展開すべきだ、というのである。

こうした高橋のロジックを前にしても、猪俣にとって帝国主義とは、一国の枠を超えた世界体系の構成部分であり、しかもまずなにより政治的争闘上の概念であることは自明のことであった。それゆえ猪俣は、これを容易に論駁しえたことは言うまでもない。猪俣は同年の論文「我が国資本主義の現段階の問題」において、レーニンの五つの標識は世界体系の純経済的側面の指摘であり、これを全部充たす国などどこにも存在しない。資本主義世界が全体として帝国主義段階にあるとき、個々の資本主義国はこうした経済的特徴を十分に備えていなくても、独占的地位の維持と確保のために帝国主義戦争と掠奪に乗りださざるをえない[17]、と高橋に応酬したのである。

それゆえ猪俣にとって、日本による帝国主義的資本輸出の始まりはすでに日清戦争後の京仁・京釜間鉄道建設に見いだされ、朝鮮を獲物とする日露戦争は、すでに立派な帝国主義的戦争であることになる。日本は一九〇四年をもって、世界体系の一環としての近代帝国主義であることを立証したものとみなされる。まさに猪俣の国家論は、こうした後発資本主義固有の政治的契機に着目しつつ形成されていったのである。

いまや私たちは再び、猪俣の先の論文「現代日本ブルジョアジーの政治的地位」を検討しなければならない。

たしかに猪俣は、日露戦争およびそれ以降の政党のブルジョア化にともない地主の階級的地位は凋落し、一九一八年の官僚軍閥と苟合した政友会内閣の確立によって、ブルジョアジーの支配は決定的になったとする。しかしながら猪俣は、一般に誤解されているように、天皇制絶対主義勢力を遺制として簡単に消滅するはずのものと考えていたわけではない。彼は、「物質的基礎のない政治勢力が（なぜ）あのように長く存在しえたか」と自問し、その理由として「ブルジョアジーの発展にとって家父長的保護主義の政府の意義と、帝国主義戦争の遂行」をあげる。すなわちドイツよりもさらに遅れて資本主義化した日本は、経済的に金融資本の基礎を確立しないうちに、国家による急速な海外市場の先取を展開せざるをえない。このことが官業ないし国家資本の異常な膨張をうみだし、官僚軍閥の地位を強大なものにしてしまった。絶対主義的政治勢力の残存を必然的にした根拠は、まさにこうした日本の帝国主義としての特殊性にあるというわけである。

ここに『金融資本論』にはじまる猪俣の帝国主義研究が、日本の国家論に応用されるみごとな成果がみてとれよう。だがしかし、その世界体系論がもっぱら帝国主義の国際的政治過程の分析にとどまり、後発資本主義における資本の蓄積構造を専制権力の国内的根拠と関連づけて分析しえなかった難点は、やはりここに大きな限界を残しているといわねばならない。すなわちブハーリン流の「国家資本主義トラスト」論によって、民間金融資本が成熟するにともなって官僚軍閥などの絶対主義勢力は対抗力を失い、完全なブルジョア権力が完成するはずだというロジックである。それゆえ、猪俣はいう、

「国家資本は絶対主義勢力の基礎として本質的なものではない。金融資本の発展・変質とともに、金融寡頭支配の成立とともに、国家資本もまた、金融資本による生産の支配および政治的支配の機構としての国家資本主義トラストの構成部分に転化する。[18]」

つまり天皇制国家の絶対主義的性格は、もっぱら内部が未成熟のまま早期に帝国主義化した日本資

本主義の国家資本的性格に求められ、金融資本したがってその最大の混成企業形態である財閥が国内を制覇し再編するとともに、変質し消滅するはずのものとみなされていたのである。これがその後の歴史的事実に照らして誤っていたことは言うまでもない。

たしかに二〇年代には、金輸出再禁止による為替相場の急落と満州事変による国内軍事支出の増加によって、重工業製品の輸入障壁が築かれ、財閥は重工業独占体を形成した。だがそれは、国家主導の植民地進出と権力の「絶対主義」的性格を少しも弱めるものではなく、逆に中農層の固定とその政治的動員によって天皇制国家の侵略行動に基礎を与えるものであった。猪俣における天皇制国家へのオプティミズムも、まさにその金融資本論に胚胎していたというべきであろう。

野呂栄太郎の国家論

こうした限界はまた、初期講座派の理論的指導者となる野呂栄太郎にもみられる。

野呂のデビュー作は、一九二四年に執筆されたと推測される『日本資本主義発達史』である。この論文は日本労働学校における彼の『資本論』講義をそのまま日本の現状分析に当てはめたものであり、それゆえ、きわめて公式主義的な日本史の理解がみられるが、そのことがかえって明治維新のブルジョア革命としての性格を浮かびあがらせるものとなっている。

野呂はまず「日本資本主義前史」を氏族制度から説きおこし、鎌倉幕府に純粋封建制の完成をみる。そして江戸時代にはすでに、私法的な土地所有権の発生によって封建制度の基礎を脅かす資本主義の萌芽があったことを指摘する。これが後の講座派における江戸時代=純粋封建制説と大きく異なるものであるのは明白であろう。それゆえ封建制度の廃止と所有権の完全な立法的確認をともなう明治維新は、「明らかに政治革命であるとともに、また広汎にして徹底せる社会革命」であることになる。そしてその後の資本主義の発展は、官営工場の設立と民業に対する保護誘掖の準備期をへて、明治一八年ころから日清戦争前後には、ほぼ「軽工業中心の第一次産業革命を完了したものといいうる」。

このような資本主義の発達過程の〝法則的シェーマ〟化は、他方において野呂が、明治以降の農業における封建的小経営の停滞を指摘し、「四民平等の原則も自由民権の叫びも、まだ十分に封建的身分制度の形骸そのものを一掃することができなかった」と述べても、これを日本資本主義の構造的特殊性として説明できないことになる。むしろ反対に、「我が資本主義の特殊性とせられるものの中には、世界資本主義の現状に即し、国際資本主義関係より考察するとき、かえって資本主義発達の一般的法則の所産にすぎざるものが多い」として、ブルジョア革命から産業革命をへた延長上に「第二次産業革命（重工業）の進展と帝国主義への転向、ならびに国家資本主義トラストの形成」をストレートに見いだそうとするのである。(19) いわば労農派顔負けの〝資本主義の一般的発展論〟が開陳される。

こうして野呂が帝国主義論の研究に着手した矢先に登場したのが、先にみた高橋亀吉の「プチ帝国主義論」であった。野呂は、猪俣や大森義太郎・佐野学らとともに、これに対して批判の統一戦線を張った。だが注意すべきは、野呂の一九二七年論文「『プチ帝国主義論』批判」は、その視点が猪俣とはかなり異なったものであった点である。野呂は、帝国主義が「世界的範疇」であり国際政治過程上の概念であることを正当に指摘しつつも、レーニンの五つの標識のうち、生産と資本の集積、銀行と産業の融合、資本の輸出、資本家の国際的団結の四標識がそのまま日本にも当てはまるとして高橋を論駁していった。それは日本の帝国主義としての特殊性を抹消し、その具体的な現実を、レーニンの一般標識に強引に押し込むものであったといわねばならない。

だがいっそうの問題は、こうした方法論がその国家論に重大な影響をおよぼしていると思われることである。猪俣の帝国主義論にみられた世界資本主義の支配体系への参入と国際的政治的争闘のファクターが軽視され、「帝国主義国家」の成立が、もっぱら一国内の重工業の発展と独占の形成という経済過程にストレートに還元されてしまうのである。

それゆえ野呂においては、日本における帝国主義の成立なるものは、日露戦争後の「第二次産業革命」をもって画される。日露戦争が「日本資本主義の発展過程における画期的重要性と過渡的複合性」をもつことを一応承認しつつも、経済的な意味での金融独占による帝国主義戦争は、第一次大戦まで繰り延べされるといってよい。いいかえれば日露戦争にいたる国家の排外的侵略性は、その帝国主義論からは説明しえない。それはまさに、遅れた集約的小規模農業と高度の生産様式を採用した近代工業との不均等発展の結果として、「我が国においては、その急速な産業革命にもかかわらず、…毫末も絶対的専制政治形態を揚棄することはできなかった」例証とされる以外にないのである[20]。

ここに、先にみられた資本主義の一般的発展と農業の封建的残存を形式的・機械的に併記する傾向が、帝国主義論の破綻においていっそう増幅され、絶対主義国家論に固定化されていったとみることができよう。

このような野呂の傾向は、その直後に発表された二七年テーゼの影響と重なり、つづく論文「日本資本主義発達の歴史的条件」においていちだんと顕著になる。この論文は二七年末に完成していたが、

のちテーゼの公表にともない大幅に訂正されたといわれている。この論文において野呂はいう、

「明治維新は、明らかに強力的政治革命であったとともに　――否、あったがゆえに、また広汎なる社会革命であった。」

「明治維新の変革によって、封建的身分の法的外被は、一応排除された。」

「農民は土地の封建的拘束からともかくも解放され自由にされた。」

だがしかし同じ論文では、まったく逆に、次のようにもいわれる、

「明治維新がただちにブルジョア革命――有産者団の政権掌握を意味するものではなかった。」

「絶対専制勢力が、資本家と地主の均衡勢力の上に新たなる支配根拠を可能ならしめた。」

「ただちにこれらの被支配的、封建的生産様式のもとにおける封建的搾取関係、封建的抑圧条件の揚棄を意味するものではなかった。」(21)

ここには明らかに、維新をブルジョア革命として近代資本主義の形成を認めるロジックと、維新における革命の失敗と絶対王制の成立を説くロジックとが、相互に矛盾し不協和のまま共存している。戦後には、前者を強調する福冨正実・神田文人の野呂研究と後者を重視する上山春平の研究とが発表されているが、こうしたアンビヴァレンスこそは、二七年テーゼの両頭性を反映した野呂の混乱を示

すものであろう。先にみたように、二七年テーゼは「ブルジョア国家に対するブルジョア革命」の提起という国家論と戦略論の決定的な不整合を露呈しており、当時、党の中枢に接近しつつあった野呂が、コミンテルンという国際的権威の重圧のもとで、学問と実践のダブル・バインドを強いられていたことはおそらく想像に難くない。

しかしまたこの混乱は同時に、野呂がデビュー作である『日本資本主義発達史』いらい示していた資本主義の内在的発展法則論によっては、早期に帝国主義的な海外侵略を遂行した天皇制権力の性格をまったく把握しえなかったという、『資本論』と『帝国主義論』の理解にかんする方法論的欠陥のひとつの帰結であることも容易に確認できるであろう。

こうして先にみた一九二九年の二論文「猪俣津南雄『現代日本ブルジョアジーの政治的地位』を評す」および「日本における土地所有関係について」になると、その初発から潜在していた猪俣との差異が決定的なものになるといってよい。猪俣が絶対主義の物質的基礎の喪失を言うのに対して、野呂は物質的基礎としての「経済外強制」が存続していることを強調し、さらにはそれが「国家最高地主」としての天皇制によって直接におこなわれているとまで主張することになるのである。

こうした主張には、みずからの初期の著作にみられた金融独占資本のヘゲモニーの視点が後退し、代わって、折から中国の二七年の農業革命綱領をめぐってE・ヨールクやM・ゴーデスなどコミンテルンの理論家が提起した、アジア的生産様式を封建制の特殊形態とみなす学説が大きな影響を及ぼしたと思われる(22)。日本資本主義の基底としての「アジア的封建制」なるものが、金融資本の蓄積から切り離されて独立要因として固定されたとき、ここに初めてのちの講座派国家論の原型が確立したといってよいだろう。

時あたかも日本資本主義は、二七年の金融恐慌をへて二九年世界恐慌の波及下に、金輸出の再禁止と産業統制によって急速に軍部が台頭し、満州事変へ突入していく時期であった。

こうした状況において、天皇制国家とファシズムの勃興を整合的に把握しえないコミンテルン・マルクス主義は、ブハーリンの失脚という政治的インパクトによって混迷を加速し、方針を二転、三転せざるをえない。二八年の三・一五事件、二九年の四・一六事件、三〇年の武装メーデー事件と度重なる弾圧の後ようやく出された「日本共産党三一年テーゼ草案」は、明治維新のブルジュア革命性を承認し、日本は金融資本の支配の下に高度に発達した資本主義であるという現状認識に立って、初めてプロレタリア一段階革命戦略を提起することになる。だが、翌三二年には突然これを一八〇度転換した「日本の情勢と日本共産党の任務にかんするテーゼ」(クーシネン・テーゼ)が発表され、維新以降の日本を一貫して絶対主義国家とみなす理解が最終的に定式化されるのである。

以後、この三二年テーゼに従う日本共産党と、これに反対する労農派との断絶は決定的になり、日本資本主義論争は第二ラウンドへ移ることになる。

2　絶対主義論と国家論

三二年テーゼの国家論

三二年テーゼは、日本の国家権力は三つの構成要素から成り立つとする。

「第一に、天皇制は一八六七年に確立してこのかた無制限の権力を保持する絶対王制である。その国家機構は、一方で地主という寄生的封建階級に、他方でブルジョアジーに立脚し、両階級の棟梁と永続的ブロックを結んで両者の利益を代表するのみならず、独自の絶対的性格と役割をもって軍事的警察的支配を維持している。…………支配体制の第二の要素は地主的土地所有であり、農民の奴隷的搾取の体制が農業生産力の発展を阻害し、大衆の窮乏化を促進している。そして第三の要素は独占資本主義であり、その金融寡頭制は彼らの政策に忠実な天皇制官僚体制と緊密に融合している。(23)」

ここで特筆すべきは、天皇制国家は、エンゲルスが定式化したような古典的意味での絶対王制にとどまらず、内外の歴史的条件によって、独占資本の段階なるものにおいても、基本的に変わらずそのまま存続しているとされる点であろう。それは、かつて福本が先鞭をつけた天皇制絶対主義論をいっそう推し進め、地主的土地所有と独占資本との「均衡」の上に継承される「外見的超階級性と絶対的独裁性を有した例外国家」と規定するものであったといってよい。

もちろん絶対王制とは、イギリスのバラ戦争後のヘンリー七世に始まるチューダー・スチュアート王朝や、フランスのユグノー戦争後のアンリー四世によるブルボン王朝に典型例がみられるように、国王が、一方で封建的分権的領主を抑えて、他方で商人資本と結託し中央集権国家を形成するものである。したがってそれは、重商主義政策にもとづく資本の原始的蓄積の遂行によって、やがて自らが再編した「最後の封建体制」の基礎を自ら掘り崩さざるをえない。それはまさに封建制から資本主義への過渡期固有の国家機構であり、けっして資本主義の独占的発展なるものと共存しうる性格のものではありえない。

だが少なくとも官僚制度と常備軍を統括する当時の天皇制国家が、二二年草案や二七年テーゼのブロック権力論、および三一年テーゼ草案の単純なブルジョア権力論ではとうてい理解しえない「外見的超階級性と絶対的独裁性」を保持していたことも疑いない。権威あるコミンテルンが、このような一九三〇年代の日本国家に「維新いらい不変の絶対王制」という認定を与えたのである。それゆえこれ以降の国家論論争は、もっぱら三二年テーゼの権威におもね、現代国家論の替わりに維新権力の分析をもって代えるという傾向を助長していくことになる。

野呂栄太郎の指導の下に、山田盛太郎・平野義太郎・大塚金之助によって編集された『日本資本主義発達史講座』（一九三二～三四年）がこれを代表するものとして誕生した。

このなかで山田は、明治維新は「幕藩体制の妥協的解消・転化」にすぎず、新たに創出された体制は半封建的土地所有・半農奴的零細農耕を基底とする「軍事的半農奴制的日本資本主義」でしかないという。また小林良正は、明治国家は徳川幕府の割拠的純粋封建制を全国的体制として拡大再編したものにほかならないと規定した。[24]この『講座』によってマルクス主義国家論の〝正統〟が文字どおり講座派として確立したのである。

平野義太郎の国家論

さて、こうした絶対主義国家論をもっとも体系的に展開したのが平野義太郎であろう。平野は、一九三三年の『講座第五巻』収録論文「明治維新における政治的支配形態」において、次のように述べる、

「明治維新は……決してブルジョア民主主義的変革でもなければ、社会過程においても完全なブルジョア革命でもなく、外国資本主義が日本封建制の崩壊を強制した契機において、自らの内的条件により封建制の自己解体を余儀なくされたのであるから、封建制の妥協的解消を内包しつつ、封建的領有の全国的統一が行われるにいたった。[25]」

したがって平野によれば、維新の結果誕生した新興階級は「農奴主的ブルジョアジー」であり、天皇制国家は全国的規模における隷農制の継承者として、廃藩置県によってこの支配体制を開き、一七八九年の欽定憲法によって絶対主義的国家機構を完成させたということになる。そして平野は、これまでの土地貴族とブルジョアジーの「均衡」を絶対主義国家の唯一のメルクマールとする通説を、階級的基礎のないカウツキー的偏向として批判する。階級均衡論は、純粋古典型であるフランスには「例外」的に妥当するにしても、ブルジョアジーが闘争しない日本には当てはまらない。レーニンにならって、それは国家形態の外見的独立性の要因ではあっても、その固有の基礎を示すものではない、というのである。

さて、平野の最大のオリジナリティは、こうした階級均衡論に代えて、絶対主義天皇制の基礎を「物質的基礎」と「社会的基礎」に分けて体系的に論じた点にあろう。

まずその「物質的基礎」はどこにあるのか。

徳川幕藩体制において、各藩に「租税と地租との貢納への統一」がみられたが、明治政府は「全国的統一の体統者」として封建的土地所有を再編し、生産諸条件の全面的な所有者たる「最高の地主」となった。明治六年の地租改正条例いこうも地租は封建地代であり、その金納化はたんなる形態転化にすぎない。したがって平野によれば、当時の高率地租こそが絶対主義天皇制の物質的基礎である。一見すると明治一〇年における減租と農産物の価格騰貴は、地主をして国家農奴としての地位から脱却させたかのようにみえる。だが明治絶対主義権力は、地主・小作間の経済外強制を温存し、私的地主による小作農の搾取を「公力」によって確保しつつ、みずからが最高地主として国家農奴である自作農の直接的搾取の上に立つ権力を維持しているということになる。

こうした物質的基礎としての国家農奴制なるものは、野呂の国家最高地主説からブルジョア・ヘゲモニー論を抜き去って純化したものであり、それはマルクスが「総体的奴隷制」と呼んだ太古のアジア的生産様式の分析ではありえても、けっして「絶対王制」論ではありえない。そもそも経済外強制の例証とされる鎌止め・立毛刈取り方の禁止・小作株取上げの慣行などは、むしろ賃貸借契約における債務不履行の民事的強制執行であり、それが留置・入牢などの刑罰と分離しているのは近代的契約関係であることを証明するものであろう。また、財政中に占める地租の割合が高率なのは、初期ブルジョア国家に共通する特徴であって、イギリスやフランスなども革命後の重商主義期に一般的にみられるところであった。

すなわち平野の「物質的基礎」論では、資本の原始的蓄積を推進するという絶対主義国家のもつ重要なブルジョア的側面が無視され、半封建制から「半」が抜け落ちて完全に封建制一色に塗り込まれることになってしまう。しかしながら現実に天皇制国家は封建的分権を一掃し、地方自治の片鱗もない中央集権国家を確立した。それはイギリス型の議会王権でないにしても、少なくとも農民や地主の土地所有権を法認したプロイセン型立憲政体と共通する一面を有していたことは疑いをえない。平野の主張は「絶対王制」論としてみても明らかに片手落ちなのである。

だが他方で、平野はこうした物質的基礎なるものとは別に、「天皇制国家の社会的基礎」を正当に位置づけていた。この「社会的基礎」というタームは、国家の搾取の基盤ではなく、むしろ国家権力をポジティヴに是認し支持していく社会的意識を意味し、今日の政治学でいうならば国家の正統性原理（Legitimität）でありその物神性（Fetischismus）の根拠を指し示すものといってよいだろう。マルクス流にいえば、「ある人が王であるのは、ただ他の人々が彼に対し臣下としてふるまうからであるにもかかわらず、彼らは反対に、彼が王だから自分たちは臣下だと思う」権力の倒錯的合理性を表現するものである。

平野は、カウツキー流の階級均衡論に代えて、土地貴族でもブルジョアジーでもない小規模生産者層すなわち自営農民を「旧社会の藩屏」とみなして、これを天皇制国家の「社会的基礎」に定位した[26]。たしかに封建制の解体後、資本主義的生産様式とあいならんで温存された分散した小規模農民経営は、みずからを代表させる政治形態をもたない孤立的独立性のゆえに、天皇を崇拝し擁護する固有の支持基盤であったといえよう。これは、国家を階級支配の道具とみなすレーニン型の階級国家論とまったく異なる画期的視点であり、平野の国家論の最大のメリットであるといってよいだろう。

だが、のちに向坂逸郎が批判したように、平野の「物質的基礎」論においては、がんらい自作農自体が自営農民ではなく、最高地主たる国家に従属し収奪される「国家農奴」だったはずである。それゆえ向坂は、いったい農民は天皇制国家の収奪の対象（農奴）なのか、国家権力を支える担い手（自営農民）なのかと問い、平野のいう「社会的基礎」なるものは存在しないとして、中空に浮くナポレオン的観念を揶揄した[27]のである。まさに平野は「物質的基礎」と「社会的基礎」の二者択一を迫られざるをえない。

向坂逸郎の国家論

このように向坂は、一九三五年、平野への批判論文「『ナポレオン観念』の物質的基礎」を書いた。しかしながら、この論文にもいっそう大きな問題があろう。

いうまでもなく天皇制は、「神武創業の初めにもとづく」祭政一致・万世一系の天皇が「祖宗に承ける大権」によって帝国の君主となるイデオロギーの体系である。だが、こうしたイデオロギーが国家の理念として物神化され民衆の抵抗を斥ける正統性を獲得したのは、それなりに確固とした「社会的基礎」が存在したからにほかならない。向坂は、マルクスの著書『ルイ・ボナパルトのブリュメール一八日』を根拠にして、諸支配階級の勢力の均衡の上に自営農民や小生産者を基礎とする「第三権力」が形成されるのは、フランスの分割地農民やプロシャの零落せるユンカーの権力などボナパルティズムの場合にかぎられるという。[28] すなわち封建階級の崩壊ののちブルジョアジーとプロレタリアートの均衡の上にたつ第三階級国家の場合だけであり、わが国にそうした「社会的基礎」は当てはまらないとして平野を批判した。

だが、はたしてそうであろうか。

維新後の日本の資本主義ははなはだしい後発性のために、西欧諸国のような自生的小資本やマニュファクチュアの発展によらず、いきなり高度な機械制工業を輸入することによって開始された。このため、開国による商品経済の洪水のような流入と地租改正による所有権の法認によって、農村は強力な解体作用をうけたにもかかわらず、都市の工業資本主義は、農村の厖大な過剰人口を吸収することができずに滞留させたのである。それは寄生地主に高額の小作料を払う小作農のみならず、生産費と地租さえ償われない低廉な農産物価格のもとで小地片の私的所有にしがみつく自作農を誕生させた。このことは日露戦争から第一次大戦にいたる重工業の発展期においても、農民人口が全国民の過半数を優に超える異常さに端的に示されていよう。

天皇制国家を支えた「社会的基礎」は、まさに日本資本主義自身が再生産しつづけた小農民的エートスそのものにあった。すなわち、私的・アトム的に解体され孤立しつつ、自給的生活に追われ農業の資本主義的発展の道を閉ざされたアジア的米作農民のエートスこそが、都市ブルジョアの議会・政府官僚に対する不信とうらはらに農村の「共同体的幻想」を体現する家父長的天皇に対するフェティシズムを肥大化させていったというべきであろう。それは、ブルジョア革命によって獲得された小土地所有の守護者としてのナポレオン信仰を生んだフランス・ボナパルティズムと形態は異なるにしても、天皇制権力の「外見的超階級性と絶対的独裁性」を支持する強固な社会的基礎であったことには、まったく変わりはないのである。

むしろ向坂による平野の「社会的基礎」に対する批判には、非常にドグマティックな農民層の両極分解論が下敷きになっているように思われる。じっさい向坂はいう、

「我が国の小作農は…一定の生産手段の自由な所有者として資本家と同一の性質をもち、みずから労働する自由な労働者として賃金労働者の性質をもつ。正確にいえば、この二つに分解発展すべき性質を内在している。彼らの競争にもとづく窮乏化の現象は、かかる分解の発展である。[29]」

ここには、後発資本主義の構造的特殊性にかんする理解はまったくない。見られるのは、資本主義の発展とともに、天皇制を支える小農民層は資本家と労働者とに分解し、天皇制の「社会的基礎」は消滅していく。したがって国家権力も西欧タイプの共和制ないしは立憲君主制へと転化していくはずだという、唯物史観の説く一元的進化のシェーマだけである。向坂は、平野や山田における固定的な「型制」を批判し「発展の欠如」を指摘した。だが本当の問題は、後発資本主義国の特殊な「発展の型」にこそあったのである。

こうして日本における封建制の解体と資本主義の発展が、なぜブルジョア国家を生みださず、「絶対主義」的な天皇制国家に帰着していったのかという正当なプロブレマティクは、向坂らの労農派でなく、まずは講座派の内部でしか提起されえなかったのである。

3　ブルジョア革命論と国家論

羽仁五郎の国家論

こうした問題提起の最初のものは明治維新を素材とする羽仁五郎の国家論である。

羽仁は、一九二九年の著書『明治維新解釈の変遷』において、初期野呂の影響の下に、日本の封建制内部における資本主義の成長を重視し、「明治維新をもって日本におけるブルジョア革命そのものとして、またはその資本主義発展の主要段階の一つとして理解する」解釈を示していた。だが三二年テーゼ以降の『講座』に掲載された論文「幕末における社会経済状態・階級関係および階級闘争」になると、維新は「旧封建的支配者に対して資本家および『資本家的』地主の支配確立への端緒を形成した」という、きわめて曖昧で両義的な表現がなされるにいたる。この論文で羽仁五郎は、農民大衆の封建的支配に対する百姓一揆などの反抗に維新の原動力を求め、明治政府を、その挫折と弾圧の上に成立したものとして描きだす。すなわち、農民革命にこそブルジョア革命の典型を見いだし、その敗北にブルジョア革命の失敗を見いだすものといってよいだろう。

じじつ、これに続く『講座』所収の「幕末における政治的支配形態」および「幕末における政治闘争」の両論文においては、次のように、このことが率直に結論づけられる、

「社会革命としての明治維新の変革は、国民革命・民主主義革命として特徴づけられるが、その上に浮かんだ成立した維新政府は、旧政治的支配形態の崩壊・転化・解消に乗じて姿を現したと

はいえ、本質的にはその再編成であり、継承であり、そこにアジア的性質を帯びた絶対専制主義の支配が確立され、さらに進む大衆の革命的活動性に対して反革命的防塞が築かれた。[30]」

それはなるほど、天皇制国家をたんなる封建的支配の統一に解消する見解に比べて、幕藩体制下におけるブルジョア革命の一定の進展をみる点では優れている。のちに色川大吉らへと継承されるいわゆる民衆闘争史観の草分けとして評価されるゆえんである。

だが羽仁の限界は、クロムウェル革命やフランス革命をモデルにして、ブルジョア革命は、大衆が蜂起し農民が決起してこれに参加する農業革命として遂行されなければならないという、度し難い「主体」に対する思い入れにあった。すなわち、維新が封建的支配者の一部である下級武士によって行なわれ、封建的土地所有が農民的所有にではなく地主的所有に転化したのだから、農民は農奴制から解放されていない。フランス革命は農民が都市小ブルジョアと同盟して闘争することで勝ちとられたが、わが国では、下級武士と地主は百姓一揆を鎮圧したのだから、天皇制国家は封建制を防衛し農奴制をうけついだ絶対王制であるというシェーマである。

こうしたブルジョア革命の理想視がはらむ問題点については、戦後になって上山春平・河野健二・大谷瑞郎らによってそれぞれ指摘され批判されたところでもある。[31]

まず第一点。ブルジョア革命はたしかに土地革命を不可欠の条件とする。近代的土地所有の法的承認は、資本主義の形成が封建的拘束からも生産手段としての土地からも自由な無産者の労働力を商品化することを根本的条件とすることから、必然的に要請される課題である。だがこの場合の土地革命とは、封建的で畳重的な土地の領有・保有関係を廃止し、一物一権の排他的で絶対的な「所有権」を法定することに尽きよう。維新政府は一八七三～八一年の地租改正によってこの課題を完全に果たしたのである。

羽仁はまた、一八六九～七六年のいわゆる秩禄処分がフランスのように無償没収ではなく、農民に土地配分がなされなかったことを革命の敗北の根拠として挙げる。だが他の西欧諸国、ドイツの農奴解放における有償解放はいうまでもなく、イギリスにおいてさえ、封建貴族にそのまま大土地所有権が認められたのである。日本の場合、少なくとも領主の所有権は否認され、地主や農民に地租の負担を条件として所有権が承認された。旧社会の漸進的な内部分解によって封建的諸権利が事実上商品経済的な所有権に転化したところでは、領主権の廃止はそもそも政策課題たりえず、その処分は近代財産法における売買契約の法理にのっとり有償の方が一般的であろう。

日本では、織豊・徳川政権下における商品経済の一定の発展によって、あらかじめ「兵農分離」が完了していたため、秩禄処分において領主権の償却という政治問題が生じることはなく、維新政府は、すでに近代的所有権化していた地主の土地占有を、地券交付をもって確認すればこと足りた。このことはフランス革命といえども、すでに商品経済的な賃貸借契約（折半小作制・分益農制）に転化していた地主の土地所有については没収することはなかった点からみても明らかであろう。

この意味では、封建的諸権利の無償廃止の方がブルジョア革命としては例外的ですらある。歴史的にも、フランス国民議会の領主権の有償廃止を否定したジャコバン左派による無償廃止は、たとえ革命期の非常措置であるにしても、すでにブルジョア革命の原則を大きく逸脱していた。じっさい、こうした〝独立・自由・平等〟の分割地の形成がフランス資本主義に停滞性を刻印し、一八四八年の革命期に貧窮化した農民をしてボナパルティズムの基礎に転化していったのは、歴史の厳然たる事実であった。むしろ逆に、日本の秩禄処分の方が、大量の金禄公債を担保とした不換紙幣の発行を可能にし、資本の原始的蓄積の急速な促進を可能にするものだったのである。このように見てくると、羽仁のいう農民革命が決してブルジョア革命の本道でないことは明白である。

第二に、日本では、革命が封建的な下層武士階級を中心勢力として推進された点について。羽仁はこれを「農民大衆の革命的活動性に対する反革命的防塞」と呼ぶが、こうした善玉／悪玉的な「主体」の二分法はナンセンスであろう。農民の革命性と同様に封建的武士の反革命性もまたア・プリオリに前提とできるものではない。ブルジョア革命の歴史的意義は、資本主義的商品経済の発展を確保するために、たんにその障害を取り除く〝共同体〟の解体にあるのであり、いわゆる「社会主義革命」のような設計主義的なものではありえない。じじつフランス革命といえども、その「主体」は僧侶や都市商工業者・地主・ルンペンプロレタリアートや没落貴族など雑多な階級を含む自然発生的なものだったのである。

わが国においても、徳川幕藩体制の崩壊期に政治過程に登場した武士は、もちろん主観的意図的に封建制の打倒をめざしたわけではない。むしろその意識においては「尊王攘夷」のスローガンの下に封建制の再編を意図していたといえる。だがすでに帝国主義に突入していた世界資本主義の圧力下においては、植民地化の危機をもたらす封建制の継承は不可能であり、日本は列強の対立という世界政治とのギャップに構造的に規定されて、先進諸国に追いつくために「富国強兵」「殖産興業」政策を採用せざるをえなかった。こうした急速にしかも高度な資本主義文明を輸入する〝主体〟なるものは、インテリゲンチャとしての下級武士以外に存在しえなかったというべきであろう。それゆえ幕末の政治闘争において、下級武士・地主と農民・市民とを対抗的に捉える「人間中心史観」は疑問とせざるをえない。

じっさい近年の実証的研究は、江戸末期において武士株の売買による地主・商人との身分融合や、また幕府の長州征伐に対する士農連合や三井組などの商人から維新軍への資金援助がみられたことなど、羽仁のシェーマに反する多くの事例を発掘しているのである。

こうして羽仁は、武士による倒幕に革命としての要素を認めない以上、けっきょく平野らと同じく、封建制の再編としての絶対王制論に帰着せざるをえない。たとえば一九三二年の論文「東洋における資本主義の形成」においては、封建制の再編の根拠としていわゆるアジア的生産様式なるものの強固な停滞性を強調し、幕末における資本は、農村的手工業および同業組合的手工業が支配的で「ほとんど革命的な性格を付与されていなかった」として封建制一色に描かれ、ブルジョアジーは、絶対主義の一方の旗頭たる地位さえ否定されてしまうことになる。

もっとも羽仁自身、一九三五年の著書『明治維新』ではふたたび維新のブルジョア革命性を評価するジグザグを繰り返すことになるのではあるが。

服部之総の国家論

これに対し、同じ講座派に属する服部之総は、羽仁の「農民一元論の非マルキシズム性」を批判して、幕末維新期における資本主義の発展そのものを積極的に肯定した「絶対主義国家論」を提起することになる。

服部は一九二八年の著書『明治維新史』において、大政奉還を身分別王制の形成、そして版籍奉還と廃藩置県を絶対王制の成立のメルクマールとみなす見解を示した。しかしその把握の独自性は、この絶対主義の内部においてブルジョア的発展が進んでいることを高く評価している点であろう。彼は、明治四年以降にすでに「上からのブルジョア革命」の開始が始まっていることを認め、さらに明治七〜一四年には、これが自由民権勢力によって「下からの革命」として継承されたという。それゆえ明治憲法の発布は、もはや絶対王制を存続させるものではありえず、ボナパルティズム型君主制への移行による「外見的立憲主義」の完成であるとみなされることになる。

もちろん明治憲政が「ブルジョアジーとプロレタリアートの勢力均衡」の上に立った近代ボナパルティズムであるというのは、マルクスが『ブリュメール一八日』で具体的に分析し、エンゲルスが『家族・私的所有・国家の起源』で定式化した西欧とりわけフランス史からのたんなるアナロジーにとどまり、日本資本主義固有の分析からひき出した正確な立論とはいえない。とはいえ、服部が絶対主義の一面であるブルジョア的発展の契機を視野に入れていたことはひとまず評価されてよいだろう。しかも服部は、維新政府による「上からのブルジョア革命」は、「発展に取り残された封建的ないし半封建的国家が、進んだ国際的資本主義の環境のもとに、その経済的政治的弾圧のもとに、滅亡を免れんとして自己の運命を打開せんとする場合に往々に生じた[32]」国家体制であるという。後進国における資本主義的発展の特殊性をもある程度正しく読み込んでいたのである。

しかしながら服部は、一九三三年、『講座』に「明治維新の革命および反革命」と題する論文を発表して、この見解を全面的に自己批判する。すなわち、維新における絶対主義権力の成立とその後のブルジョア的発展の根拠を、主として外国資本の圧力、および諸列強間の勢力伯仲と相互の掣肘に求めた旧見解は、カウツキー流の均衡論にもとづく誤謬であったとしてこれを撤回し、新たに日本社会の内発的経済的な基礎を強調して、幕末における早期資本主義の相当に高度な発展を主張しはじめることになるのである。

服部は、同年『維新史方法上の諸問題』を著し、『資本論』第一巻一二章の記述に依拠して、江戸幕末期を、西欧の「一六世紀半ばから一八世紀最後の三分の一期にいたる厳密な意味でのマニュファクチュア時代」にあたるものと規定することになる。いわく、

「江戸時代の鎖国はかえって国内分業と市場の発展をもたらした。幕末の生産形態は、もはや封建的幼稚小生産(ギルド手工業と農村家内工業)の段階ではなく、座繰製糸の発達など労働用具の変革と結びついて既存の技術的基礎の狭隘性を克服し、機械制工業による産業革命の道を準備しつつあった。……(これは、)天保時代に始まり明治二〇年代まで半世紀以上にわたる『厳密な意味でのマニュファクチュア時代』に内在的な過程として理解すべきである。」[33]

戦後における服部自身の回顧によれば、この問題提起は、猪俣や土屋など労農派による一般的な明治維新=ブルジョア革命説に対する批判としてのみならず、山田盛太郎・平野義太郎・羽仁五郎らが

封建制の再編を強調して絶対主義説を提起していることに対する講座派内部批判の意図があった[34]といわれる。じっさいその幕末期における資本主義の発達に対する高い評価は、必然的にブルジョア革命説に接近し、講座派理論から逸脱する可能性をはらんでいた。服部は、この危険を回避し、自説を絶対王制説の枠内にとどめるために一つのシェーマを導入することになる。これが有名な「地主＝ブルジョア」カテゴリーであった。

　服部は、工業にかんしてはマニュファクチュアの発展を強調し過ぎるほどしながら、これを封建的土地所有の解体と関連づけて説くのでなく、まったく逆に、農業における封建的構造の上に聳立するものとして論じることになる。マニュファクチュアに投下された貨幣資本は、地主のもとに蓄積された小貨幣であり、「早期資本主義は封建的農家および農村からの不十分な分離」にもとづいていた。それゆえ「封建的地主としての反動的な魂と最初の産業資本家としての変革的な魂が、同一のチョンマゲの下に棲っている[35]」この過渡期的な「地主＝ブルジョア」階級こそが、幕末変革運動のアンビヴァレンスを支えるものとされる。つまり維新における封建制と資本主義の共存が、一種の日本資本主義の宿命として幕末にさかのぼって根拠づけられるのである。

　たしかにその絶対主義国家論は、カウツキー的な均衡論でもなければ平野に代表される再編封建制論でもないユニークなものではある。だがそれは、「地主＝ブルジョア」なる一個の人格内に二つの魂が宿るアクロバティックな「主体」概念を前提として、辛うじて維持されるしろものであり、維新を絶対王制の成立とみなす論拠としては必ずしも成功しているとは言えない。それは、資本主義の発展の承認と封建制の固定化という三二年テーゼのスタンスを承認したうえで、こうした社会構造から人間の意識を導き出すのではなく、羽仁と同じく人間の「魂」なるものによって社会構造を説明しようとする点で、方法的に逆立ちした「人間」中心主義の結果であったといえるであろう。

4　資本論と国家論

生産力と国家

さて、以後の幕末維新論争の不幸は、服部がほんらい絶対主義の基礎づけとして提起したはずのマニュファクチュア論が、そのもう一方の柱である封建的農業論と切断されて、たんなる技術史的な工業の生産力研究としてひとり歩きしてしまった点であろう。

オーソドックスな講座派的立場からみれば、たとえ工業部門のみであれ、服部による幕末資本主義の過大評価は許容しえないものであったのは想像に難くない。それゆえ一九三三年以降、講座派の内部から次々と服部批判の矢が放たれることになる。

まず山田勝次郎は、一九三三年の『講座』収録論文「農業における資本主義の発達」において、幕末期の問屋制資本からマニュファクチュアへの発達は染織・酒造・採鉱冶金の一部に極限され、本格的な段階ではないと主張する。ついで労農系に属する土屋喬雄も、同年の論文「徳川時代のマニュファクチュア」において、服部の実証不足を指摘し、開国前に製糸・絹・綿・麻などの織物の一部にマニュファクチュア経営の端緒がみられたが、当時はなお家内工業が支配的でありマニュファクチュア時代とは言えないとした。

さらに平野義太郎が同年論文「自由民権」において、マニュファクチュアから機械制工業への全機構的発展なる視角から服部を批判する。江戸末期には、資本主義的機械工業への発展をはらむ生産手段の素材である鉄その他の採掘業マニュファクチュア、および高度の作業機を使用するマニュファクチュアの発展がいまだみられないこと、また、幕末期マニュファクチュアは藩営が主導的であり、ブルジョアジーの未成熟と鎖国による世界市場からの隔離のために、商人資本の産業資本への転化の条件が存在しなかったこと、などを挙げて、幕末期を「厳密な意味でのマニュファクチュア時代」（厳・マニュ・時代）とする説に疑問を呈するのである。(36)

これらに対し服部が論文「方法および材料の諸問題」で即座に反論し、小林良正や相川春喜の弁護、永田弘志と土屋喬雄らが再批判するといった講座・労農の両派が入り乱れた論戦が渦巻くなかで、翌一九三四年には、服部が実証をともなわない論議の限界を自己批判し、論争そのものの打ち切りを宣言する。(37)それはまた、満州事変と昭和恐慌に始まるファシズム化の嵐のなかで、共産党への大弾圧、佐野学や鍋山貞親らの転向、産業労働研究所やプロレタリア科学者同盟の解体などによって、実践的な論争が不可能になっていく年でもあった。

以後、服部や土屋らは、天保年間の秋田藩の木綿機業における問屋制家内工業とマニュファクチュアの分布調査といった、〝無害〟な実証的研究へと方向転換していく。これらの研究は、戦後の堀江英一・信夫清三郎・豊田四郎と羽島卓也・伊藤岱吉らによる「分散マニュファクチュア」をめぐる論争(38)へと継承される、経済史学的には意味のある論争であったといえるかもしれない。だが少なくとも、当初における「絶対主義国家」の経済的基礎づけというプロブレマティクから大きく後退し、しかも、国家権力の性格を一国内の生産力水準から直接に説明するという経済還元主義を前提とした議論であったという点で、致命的限界を有していたといえよう。

そして幕末維新論争の不幸は、なにより、こうした「幕末＝厳・マニュ・時代」説の提起が、『資本論』の体系的理解から切り離された誤読に規定されていたという点であろう。周知のように『資本論』第一巻四篇一二章「分業とマニュファクチュア」には、次のようなパラグラフがある。

「分業にもとづく協業は、マニュファクチュアにおいてその典型的な態様をつくりだす。それが資本主義的生産過程の特徴的な形態として支配的におこなわれるのは、およそ一六世紀の半ばから一八世紀の三分の一期にいたる厳密な意味でのマニュファクチュア時代のことである。[39]」

たしかにここでマルクスは、協業—マニュファクチュア—機械制大工業という三つの生産方法の発展段階を説いており、それが一定の通時的系列を含みうるものであることは否定できないかもしれない。そして、この各段階が、封建制—絶対王制—資本主義という西欧の標準的な社会構成史と二重写しされるとき、『資本論』は服部らのように、マニュファクチュア生産力の全社会的な検出をもって「厳・マニュ・時代」すなわち「絶対王制」の経済的基礎を実証するものとして理解される可能性を残していたのである。

だがいうまでもなく『資本論』は、三大階級からなる完成した純粋資本主義の流通・生産・分配のシステムを構造的に分析したものであり、けっして資本主義の歴史的な形成プロセスの記述ではありえない。ましてやこのマニュファクチュア論は、資本の生産過程における「相対的剰余価値の生産」（四篇）の論理的展開として説かれた協業（一一章）、分業とマニュファクチュア（一二章）、機械と大工業（一三章）の有機的な一部分であることに格別に留意を要する。相対的剰余価値とは、資本が必要労働の短縮によって一労働日中の剰余労働の比率を変化させ獲得する剰余価値のことであるが、この拡大のためには労働の生産力の上昇によって労働力の価値を低下させ、その再生産に要する労働日を縮減せねばならない。そのためには「労働過程の技術的・社会的な諸条件である生産方法の変革」が不可欠であり、これにもとづいて生じる資本による労働の実質的包摂の論理的プロセスこそが、協業―マニュファクチュア―機械制大工業であるにすぎない(40)。

それゆえマルクスはこの始点である協業を、「資本が大規模に作業する生産部門では、なおつねに主要な形態」であるとして、「特別の発展時期の固定的特徴的な形態ではない」ことを強調する。したがって『資本論』は、つづくマニュファクチュアについても次のようにいう、

「社会的生産をその全範囲にわたって捉えることも、その深部から変革することもできなかった。マニュファクチュアは、都市の手工業と農村の家内工業の広汎な基礎の上に、経済的な作品としてそびえていたにすぎない。」

「厳密な意味でのマニュファクチュア時代は、なんらの根本的変化も生ぜしめるにはいたらない。この時代は、国民的生産をきわめて断片的に征服するにすぎず、つねに都市手工業と家内的・農村的副業を広い背景として、これに支えられている(41)。」

マルクスはあくまでも資本主義的生産過程のシステム内部において、マニュファクチュアが特徴的で支配的な形態であることをもって「厳密な意味でのマニュファクチュア時代」と呼称しているだけであって、服部や土屋・平野が実証ないし反証しようとしたような、非資本主義的な農村家内工業や自営手工業に対するマニュファクチュアの支配を論じようとしているのでは決してない。いわんや、こうした国内の生産力と絶対主義などという国家形態との照応性など、もとより眼中にないことは言うまでもない。

しかしながら『資本論』のような原理的な古典と各国の現状分析とを架橋する重層的方法論を欠いたまま、前者を後者にそのまま〝適用〟しようとするとき、『資本論』の片言隻語を金科玉条とする歴史論争がおこなわれるのは避けられない事態であった。それは実践におけるドグマティズムとともに、輸入社会科学につきまとう一つの宿痾というべきものなのかもしれない。

土地所有と国家

ところで幕末維新にかんしては、マニュファクチュア論争と別個に、幕末の土地問題、すなわち当時形成された「新地主」の性格規定をめぐる論争が、同じ土屋と服部の間でおこなわれたことに注目しておきたい。

徳川中期以降における商品経済の農村に対する浸蝕は、永代売買の禁止や分地制限の規制にもかかわらず、すでに土地金融や質流れによる非合法的な土地の売買および兼併を増加させて、農民層の階級分解をひき起こしていた。領主と農民の間に中間搾取者としてのいわゆる寄生地主が形成され、これがいかなる性格を有するかが幕末の歴史段階との関連において問題となったのである。

土屋はまず小野道雄との共著『近世日本農村経済史論』において、町人請負新田や土地兼併地主の経営に、資本主義的所有権および資本家的経営の端緒があらわれるとし、それゆえ地主的土地所有が貸し出された場合には近代的地代の萌芽を認め、地主手作の場合には萌芽的利潤の成立がみられる[42]と主張した。つまり新地主的土地所有にその近代的性格をみてとったのである。

これに対して服部は、前掲論文「明治維新の革命および反革命」において、新地主的土地所有はそれが農業に対する投資として生じたとしても、農民の土地への緊縛を前提とする農奴制であり全剰余労働を搾取するという本質に変わりはない。年貢高の固定のもとで生産力が上昇するとき、剰余の一部が耕作農民の手に残されるが、これを横から収奪して農奴制的搾取率を回復するのが「新地主」であるとして、その「全反動的・全封建的性格[43]」を主張した。それはまた、新地主が、『資本論』第三巻の地代論で説かれた超過利潤のみの分与を受ける土地所有者と異なることをもって、ストレートにその近代性を否定するロジックであったということができよう。

マニュファクチュア論争では内部対立状態にあった講座派も、この論争においては、小林良正・山田盛太郎・相川春喜らが服部に足並みをそろえて、ほぼ同一の立場から土屋を総攻撃して論争は一方的に推移した。

土屋はマニュファクチュア論争に忙殺され、これらの攻撃にほとんど反論を行わなかったが、ようやく三四年六月、論文「新地主論の再検討」において提起した見解は注目に値するであろう。すなわち維新後のように農業の犠牲の上に工業化を促進した時代とは異なって、江戸時代においては「工業に資本主義的生産の萌芽が発生したなら、農業においてもかかるものが成立しないはずはない」。土地における「売値段」「質値段」という価格の成立をもって近代的土地所有権の形成を認め、「奉公人的農業労働関係」に農業プロレタリアートの始まりをみるべきだ、という論点である。[44]

ここにおいてやっとマニュファクチュア論争との接合を意識し、日本資本主義の総体を射程に入れた議論が始まりかけることになる。だがそののち全体としては、商人資本・金貸資本の形成と農民層分解との関連、国内市場の形成と農工分業の拡大といった広い視野からする幕末歴史段階の研究はほとんど行なわれず、「新地主」論争は、マニュファクチュア論争ほど広範な関心をひくことなく終息していったのである。

しかしながら国家論との関連においては、マニュファクチュア論争よりもこの論争の方がはるかに重要なプロブレマティクを含んでいることは明白であろう。マルクスが『資本論』第一巻二四章で説くように、資本の原始的蓄積とはまさに、土地に一物一権の排他的支配をつくりだすことによって共同体を解体し、「二重の意味で自由な」無産者を形成することに歴史的意義がある。したがってブルジョア革命とは、その「主体」が誰であったかにかかわらず、商品経済が生産過程を包摂するカナメをなす工業プロレタリアートの創出が最重要課題であり、その実質的基礎が土地の私有化によって保障される。この意味で「新地主」の形成は、土地の商品化による私的所有の権利イデオロギーをつくりだし、ブルジョア国家としての維新政府の客観的基盤を創出するひとつのエポックであった。

日本ではすでに、織豊政権下で農村共同体への商品経済の浸透および兵農分離が推し進められ、しかも、いったんは重商主義的な海外進出にのりだしていた。徳川政権の鎖国政策はこれを抑圧するが、他方で、石高制による集権化と国内市場の拡大によって領主が生産過程から遊離し都市官僚化する傾向がうみだされる。こうして畳重的な土地に対するヒエラルヒー的支配は弛緩し、新地主のもとで一地一主的な慣習法が形成されつつあった。それゆえ明治国家は、領主権の償却という政治問題をひきおこさずに、こうした新地主的土地所有をそのまま「所有権」としてスピーディーに法定しえたのである。そのうえ日本のような後進国においては、資本主義の技術的基盤である高度な機械制工業や株式会社制度は、先進諸国から一挙に移入されうる。ここに幕末維新の国家形態を総括的に解くカギがあろう。

第一に、こうした維新後における工業資本の初発的な高度性は、労働力の吸収範囲を狭め、ドイツ・パンデクテン民法タイプの絶対的な「所有権」と職業選択や移転の自由の形式的規定のみで、工業の必要とする労働力人口を農村から排出しうる点である。この意味で土屋が、幕末の季節奉公人や日雇奉公人に農業プロレタリアートの萌芽をなんとか検出しようと苦労したのはまったくの徒労であった。後発資本主義の原始的蓄積は、『資本論』が想定するような農業部門に、工業と同様の資本家的経営を実現する契機を含んでいない。したがってそこでは『資本論』第三巻の地代論が直接の分析公準とはなりえない。まさに土屋のいう「売値段」「質値段」が土地に成立してそれが商品化されることに、すでに近代的所有権の形成は見いだしうるのである。

第二に、国内においてマニュファクチュアから機械制大工業への技術的発展をたどる平野の「全機構的把握」なるものの不毛性も、これによって明白になろう。平野は、幕末マニュファクチュアが蝋製造や窯業・醸造・金銀採掘などにしかみられず、作業機の素材である鉄・石炭採掘や高度な機械を使用するマニュファクチュアが未発達であること、さらに民間マニュファクチュアが未展開でその多くが官営中心であることをもって、日本における資本主義の早生的発展を否定した。だが、明治以降のわが国において近代的な機械制工業や高度な技術は、もっぱら外国から輸入されたのであり、民間マニュファクチュアの自生的形成と資本主義の発展には直接的な関連はない。

のみならず、服部が「全剰余労働の収奪」とみなす幕末維新期における高額地租・地代および官営マニュファクチュアによる政府への貨幣財産の集積は、むしろ、急速に産業資本を形成するための資金として機能しえたのである。日本は、産業革命そのものをも自生的ではなく外国から移入するしかなかったのであり、そのため、天皇制国家自身のイニシアティヴによって鉱工業の育成が行なわれた。このことが、維新による近代的租税への転化後も、地租収入や国家資本の収益が国家財政中に大きなウェイトを占めた主たる原因であった。じっさい、一八七三年いこう明治政府は、銀行券の発行権をもつ国立銀行を設置し、地租収入を利子支払いの基礎とする金禄公債を資金にして産業資本の蓄積を急速におし進めたのである。

それは、幕末に始まり、八〇年代の松方緊縮財政と通貨の日銀券への統一による有余紙幣の銷却のため産業の民間払い下げを断行するにいたるまで、明らかに資本の原始的蓄積を遂行するものであったということができるであろう。

服部らは、ブルジョア革命をひきおこす幕藩体制内の資本主義的契機として、マニュファクチュア的生産力という技術的な〝実体〟的要因なるものでなく、新地主的土地所有権という社会関係的な〝形態〟的要因にこそ着目すべきであった。後発資本主義国においては、工業労働力の確保という条件が整備されれば、国家権力の担い手は上から横すべり的に移行しうるのであり、しかもその権力の「絶対主義」的強大性は、下からのブルジョア革命に対抗するというよりもむしろ、内外の帝国主義的環境に対応する延命策としてあったといえよう。

すなわち天皇制国家は、『資本論』のモデルとは位相を異にする、はじめから後発資本主義固有の帝国主義的権力として誕生したのである。

5　ファシズムと国家論

マルクス主義国家論の破綻

一九二九年、過剰資本の投機的な取引の破綻を機にアメリカから世界中へと一挙に波及した世界大恐慌は、日本でも、株価と物価の暴落そして生産の低下および国際収支の悪化を招いた。とりわけわが国では、恐慌による消費支出の減少と植民地米の大量流入による米価の下落、さらにはアメリカ市場でのレーヨンとの競合による繭価の大暴落をきっかけに、農業恐慌を誘発して農村を疲弊のどん底にたたき込むものであった。

三〇年代に入ると、たんに小作農だけでなく在村の地主層をふくむ農民諸階層の全体に多様な対立と錯綜した鬱憤が充満して、広範な反体制的政治エネルギーが蓄積されていった。それは、大不況下の大量失業による労働争議の頻発や中小商工業者の倒産、そしてこれらが生みだす膨大な過剰労働力の農村への還流とあいまって、資本主義の体制的危機をいっそう深く農村に集約していくものであった。こうした農村の争議や暴動といった高揚する反体制運動をまえに、一九三〇年の浜口内閣による財政緊縮・金解禁をメイン政策とした金融資本主導型の資本集中および産業合理化の推進は、わずか一年にして頓挫せざるをえないことになる。翌三一年の犬養内閣以降、日本資本主義は体制危機の回避という政治目的に主導され、資本主義を国家的に組織化する新たな体制への移行を迫られるのである。

したがってこの国家は、金輸出の再禁止による管理通貨制をテコとする軍需主導のインフレーション政策と、反独占的な所得再配分および窮乏打開の条件を整備する法政策によって、天皇を中心とした国民諸階級の宥和と統合をめざす政治編成として登場せざるをえないことになる。とりわけ農村においてそれは、財政の放出による米穀価格の統制や小作争議の調停、小作貧農をとり込んだ産業組合の編成、さらに、地主の譲歩によって小作農の地位を向上させ安定自作農の創出をめざす農山漁村の経済厚生運動などとしてあらわれる。これらの組織化をつうじて、農民の反体制運動は、挙国一致の政治的急進運動へと吸引されていくことになるのである。

そして折から勃発した東北農村の大凶作を機に、これを憂える軍部と革新的官僚層は、農民の反体制的エネルギーを、農業報国連盟や翼賛青年団などの隣保共助にもとづく皇国農村確立運動へと編成し、さらには満州への分村移民へと導いていく。こうして日本は、天皇を家長とする「家族主義的共同体国家」の建設、およびその国際化としての「大東亜共栄圏」の確立をスローガンとする〝天皇制ファシズム〟として登場する。それは、英米の自給経済ブロックに抗する総力戦体制によって日中戦争に突入していくことになるのである。

それゆえ、こうした三〇年代の国家体制は、もはや、旧来の講座派・労農派のいずれのステレオ・タイプのロジックによっても分析不可能なことは明白であった。

講座派は、あいかわらず三二年テーゼにしたがい、天皇制絶対主義論への固執によって、迫りくるファシズムなるものは幽霊にすぎず、封建的反動の重圧をごまかして、主要な敵である天皇制に対する闘争から大衆の目をそらせるための「支配階級と社会民主主義の欺瞞的取引」であるとした。他方の労農派は、G・M・ディミトロフにならって、ファシズムを金融資本のもっとも排外的で帝国主義的な公然たるテロ独裁なるものに一般化し、天皇制国家を「独占資本の支配とブルジョア的反動の一種」に解消してしまうことになる。(45)いずれも、大衆の反資本主義的ルサンチマンと軍部・官僚の疑似革命的エネルギーに支えられた天皇制ファシズム固有の権力構造は、完全に視野の外にあったといわねばならない。

折衷派による国家論

こうした国家主義的な資本主義の組織化状況にあって、すでに講座派的な国家を半農奴制的搾取機構として捉える誤りは誰の目にも明らかであった。それゆえ三〇年代中葉に入ると、まず講座派の内部から、戸田慎太郎・河合悦三・岡金之助らのいわゆる「折衷派」が登場することになる。

戸田慎太郎は、一九三六年の著書『日本農業論』において、明治維新を封建制の妥協的再編とする講座派の見解を修正し、純粋封建制に対する「上からの日本的改良的なブルジョア変革」であると規定する。わが国の土地所有は範疇的には封建的であっても、その制約の少ない都市近郊などの商業的農業地帯では、田畑勝手作や移転契約などの条件によってしだいにブルジョア的所有権化しつつあったというのである。また、河合悦三は同年の『日本小作制度論』において、明治時以来の地代が、農民が地主に全剰余労働を搾取される点で本質的には封建制であることを認めつつも、資本主義の発展にともなって小作農が小商品生産者へと性格を変えていることを強調して、資本制地代の発生の可能性を主張する。(46)

これらは、国家権力の弾圧が猛威をふるう時代的な制約もあって、いまだ農業の発展と国家権力との関連についてはほとんど触れることができず、むしろ国家についてはは野呂以来のアジア的最高地主としての性格を示唆するにとどまっている。

すなわちこれらは、講座派の日本資本主義論における半封建的「型制」のスタンスに立脚したうえで、それを「資本主義の発展とともに解消されうる後進性」と認識することで、労農派と同一の一国発展史観にたつものといえる。その見解の特色は、地主・小作間における経済外強制の存在を認めながら、それが、なし崩し的にブルジョア法的契約関係に移行するものとみなし、しかも国家と農民の関係においては、あいかわらず国家農奴制的な半封建的収奪説に固執するところにあったといえよう。

同様の「折衷」説は、一九三五年に対馬忠行と信夫清三郎により行なわれた「軍事的・封建的・帝国主義」(軍・封・帝国主義)論争にもみられるところであった

がんらい「軍・封・帝国主義」というタームは、レーニンの論文『社会主義と戦争』に由来するロシア・ツァーリズムの分析概念であるが、三二年テーゼが、「日本においては独占資本の侵略性は、

絶対主義的な軍・封・帝国主義の軍事的冒険主義によって倍加されている」と規定したため、これが、にわかにクローズアップされることになったのである。もっとも、時代状況を鑑み、論争は日露戦争時のツァーリズムの分析という〝奴隷の言葉〟を使って行なわれざるをえなかった。

この論争において、対馬は、帝国主義は資本主義に固有のものではなく、奴隷制社会や封建制社会にもそれぞれ帝国主義化の時期があったとして、「軍・封・帝国主義」を、絶対王制による外国民族に対する封建的搾取の段階であると規定する。それゆえ日本にかんしても、明治二〇年代の天皇制国家の支配と日露戦争以降の独占資本の支配とは性格的に異質のものであるとして、この変化が、軍・封・帝国主義から最新型の資本主義的帝国主義への漸次的な移行の過程として捉えられることになる。

これに対して信夫は、「軍・封・帝国主義」を独立した固有の段階としてではなく、二〇世紀資本主義によるブルジョアジーの支配を補い、これに帰一するかぎりでのみ成立する国家の政策であると捉えた。すなわち、資本主義の発展とともに天皇制国家に機能の変化が認められ、日露戦争以降のいわゆる「段階としての帝国主義」において、「政策としての軍・封・帝国主義」の遂行が可能であるというのである。(47)

これらはどちらも、資本主義的帝国主義（金融資本の支配）と軍事的・封建的・帝国主義（天皇制国家の支配）なるものとの関連についてなんら整合的な把握ができず、それを「段階」とみるにせよ、「政策」とみるにせよ、けっきょく天皇制国家の存立根拠は、ともに「細かい封建制の網の目で蔽われた特殊な資本主義」なるものに求めざるをえないことになる。

この対馬と信夫のいわゆる「軍・封・帝国主義論争」は、戦後、志賀義雄と神山茂夫を中心に、小山弘建・浅田光輝・中西功・小林良正らをも巻き込んで大々的に争われた国家論論争(48)のプロトタイプをなすという点で画期的なものではあった。だが今日からみれば、第一に、後発資本主義の帝国主義化のプロセスを国内の金融資本的蓄積との関連において構造的に捉えておらず、いたずらにレーニンの権威におもねるドグマティックなカテゴリー論に終始していること、したがって第二に、三〇年代における日本型ファシズムの形成がこうした資本主義の構造変貌との関連で把握されず、独占資本と国家権力とをストレートに結びつける旧来のレーニン『帝国主義論』のパラダイム内にとどまっていたという点で、致命的であった。

これらの折衷論において、戸田や河合は、土地所有論と国家論とを機械的に切断し、また対馬や信夫は、国家の基本的性格と対外的政治政策とを機械的に分離することになる。これらは、国家を、市場経済および農業問題との構造連関において把握することを放棄する点においても、また三〇年代の国家権力の変質が押さえられず、天皇制を依然として絶対主義の枠内にとどめおく点においても、まさに「折衷派」にとどまるものであったといえるだろう。

井上晴丸の国家論

さて、これに対して、天皇制ファシズムを視野に入れて労農・講座の両派の国家論を〝統合〟しようとした数少ない試みとして、一九三七年に井上晴丸が提起した国家論を挙げることができよう。

井上のオリジナリティは、日本国家の特殊性を「段階」的分析から導き出そうとする点にあろう。井上はひとまず講座派のドグマにしたがって、日本における絶対主義の存続の第一の要因は、半封建的地主と半農奴制的貧農の敵対矛盾であり、高率の封建地代が利潤の発生を許さないという「範疇」的問題であるという。だがさらに重要な第二の要因として、これと独占資本が相互規定的に結合することをふまえた「段階」的把握が必要である。西欧のように産業資本が自生的に生成する場合には、相互に自由競争が展開され、農業を含む全部門に資本主義的商品生産が促進される。だが日本のように自由競争の段階が省略されていきなり独占資本的構成をとった場合には、農耕からの加工産業の分岐が停頓し、農業内部の商品経済化は畸型になる。ここに絶対主義が永らく存在する根拠がある、というのである。

ここから井上は、天皇制国家を支えるいわゆる「ナポレオン的観念」についても、マルクスがフランス農民について分析した孤立分散的な小土地所有者の財産防衛と専制への依存という性格をふまえて、より日本的な特殊性の解明に踏みこんでいく。すなわち独占資本主義という「段階」のもとで、日本の自作農は封建地主的な寄食化への憧れに充ちたまま分解せずに残存する。この自作農中堅＝中農上層こそが、封建支配勢力を小作農の闘争から防衛し存続させる援護体となり、さらにまた天皇制国家の官僚と軍隊精鋭の供給源にもなるとして、ナポレオンのボナパルティズムと異なった意味において、絶対主義天皇制の社会的基礎を析出するのである(49)。

井上においては、帝国主義段階に固有の特徴として農民層の停滞傾向が把握され、しかもそれが平野のように国家農奴（物質的基礎）と混濁されることなく、天皇制国家の「社会的基礎」として正当に把握されている。それゆえその主著『日本産業組合論』では、三〇年代に自作農の窮乏と崩壊を阻止すべく厚生組織としての産業組合が編成され、統制立法を介してファシズム体制に糾合されていくプロセスをたどることが可能となった。それは戦前の講座派におけるほとんど唯一のファシズム国家論であるといってもよいだろう。

しかしまた、この半封建的「範疇」と独占資本的「段階」の合成による日本資本主義論は、その天皇制ファシズム論に固有の難点をもちこむことになる。絶対主義論を採りつつファシズムを認めようという国家の機構（範疇）と機能（段階）の結合理論である。こうした井上の限界は、戦後における宇佐美誠次郎との共著『国家独占資本主義』（一九四九年）において、より決定的になるといえよう。天皇制権力機構は、古典的な絶対主義として形成され、日露戦争をつうじた地主とブルジョアのブロック権力をへて、三〇年代における金融独占のへゲモニーの掌握によって機能を変え、三六〜三七年にはほんらい矛盾した存在である絶対主義とファシズムとの接合が実現されるというシェーマである。

ここでは、天皇制ファシズムが国家独占資本主義なるものの一形態として理解されてはいるが、それは、いわゆる全般的危機下の統制経済をメルクマールにして、独占資本と天皇制国家をむすびつける階級国家論をよりドグマティックに徹底したものにとどまった。こうしたロジックでは、自らが指摘した自作中農を「社会的基礎」とする反金融資本的で階級宥和的な国民統合の側面、すなわち戦前から戦後へと連続する現代資本主義としての側面が、いまだ十分に捉えきれていないといわざるをえない。

じっさいこうした理論の限界は、実践に対してもまったく有効な指針を提供することができず、一九三五年の共産党組織の摘発と壊滅から三六年の講座派に対するコム・アカデミー事件、三七年と三八年の労農派に対する人民戦線事件へとつづく一連の弾圧によって追いうちをかけられ、以後の国家論論争そのものをほとんど不可能ならしめたのである。

6　共同体と国家論

国家論における民俗学の導入

ところで、この時代の天皇制ファシズムが反資本主義的かつ反社会主義的な国民統合をスローガンとする疑似「共同体的国家」を標榜していたことは、これまでの西欧をモデルとした国家論論争に深刻な反省をひきおこすことになる。それは天皇制国家の基盤として、西欧ブルジョア社会と異なった日本的「共同体」に着眼するものであった。ここに有賀喜左衛門や中村吉治らによって、柳田國男の民俗学や社会学的な共同体論をふまえた講座派、労農派のいずれでもない非マルクス主義的スタンスの国家論が胚胎することになる。

たとえば有賀喜左衛門は、日本農業における小作慣行を分析するにあたって経済学的または法学的観点からの階級支配還元論を批判し、これを文化的・社会的な村落の生活形態との関連において理解すべきことを提起する。そしてこれまで「半封建的土地所有＝半農奴制的零細農耕」による賦役労働の典型とされた名子制度を実証的に再検討していく。

有賀は一九三三年の論文「名子の賦役―小作料の原義」において、賦役を労働地代とみなす講座派、および賃貸料の代用とする労農派の両説を批判し、これを大家族的経営において「コカタがオヤカタに奉仕する家内賦役」として把握するべきことを提唱する。そこでは名子の賦役は、封建制よりはる

か以前の複合大家族を再生産単位とする日本民族固有の血縁組織原理に由来することが強調されることになる。有賀によれば、

「(こうした大家族共同体は)その内部においては、家族が家長に集中的に結合する構成をもつとともに、外部に対しては、その上層の組織における首長に同族的性格をもって結合する構成をもつ[50]。」

したがってその同族的結合の階層的な到達点には、ほかでもない〝天皇〟が位置づけられることにもなる。まさに天皇制は、古代の氏族制度いらい連綿とつづく日本人固有の民衆的習俗ないしは伝統的メンタリティの所産ということになろう。こうした議論は、いわゆるアジア的生産様式論とともに、このの ち社会的に大きな影響を与えることになった。戦後、丸山真男や藤田省三の政治学を介して、吉本隆明や滝村隆一らの共同体国家論、すなわち国家という幻想領域(イデオロギー)の独立性を認めて、いったん国家を経済的諸関係から認識論上の切断を図るという議論[51]にもつながっていくことになる。

しかしながらこうした文化的宗教的権威としての古代天皇制の評価は、比較文明論や文化人類学の一部にみられる日本王権論としてはともかく、やはり根本的な疑問が残るものであろう。なるほど天皇の起源は古代大和朝廷にさかのぼりうるにしても、鎌倉以降の封建制とりわけ徳川幕藩体制下においてその権力はたかだか七万石の小大名程度のものであり、幕府の「禁中並公家諸法度」に服属する儀礼的地位にすぎなかったのである。それゆえ問題は天皇の存在ではなく、むしろ明治維新以降の資

本主義化の過程で、なぜ初めて軍隊と官僚への全面的支配権をもつ専制的国家権力が誕生し、それが現代的ファシズムを生み出したのかという〝近代のパラドックス〟として設定されねばならない。じっさい、日本で「天皇制」というタームが最初に使われたのは一九三一年に岩田義道が執筆した「共産党政治草案」であり、そこでは、それは「日本における絶対無制限かつ唯一最高の君主制」と規定されていたのである。

国家論が、唯物史観やエンゲルス理論のように社会構成一般における発生史としてではなく、あくまで資本主義の構造的連関によって定礎されなければならないゆえんである。

猪俣津南雄・関矢留作の国家論

さて日本資本主義論争の末期には、こうした民俗学的な共同体論を摂取しつつ、天皇制国家論をその社会的基礎から再構成しようとする試みが、わずかながら両派によって企てられた。最後にこうした例として、労農派の猪俣津南雄および講座派の関矢留作における晩期の見解を検討しておこう。

論争の最終局面における労農派側の国家論として、一九三六年の猪俣の論文「封建遺制論争に寄せて」がある。もっとも猪俣は二九年に「労農」の同人を脱退しており、厳密にはすでに労農派とはいえない。じっさい理論的にも、二〇年代の猪俣と比べるとそこには大きな転換がみられる。

この論文において猪俣は、一方で、平野や山田の日本資本主義論は原始的蓄積の型と維新における国内的局面にとらわれすぎており、世界史的環境における資本主義の発展過程を無視していると批判し、他方で、半封建的なものは資本主義の発展とともに自然消滅するという向坂の「単純な機械的な考え方」をも批判する。すなわち、一七〜一八世紀のイギリスと異なった帝国主義的環境において近代化を開始した日本では、資本主義の発展過程も西欧とは異なることを強調するのである。猪俣は、「都市における資本主義の発展は、その過剰人口を吸収し尽くして農村の労働力に欠乏を生ぜしめるほど急速ではなかった」[52]と指摘する。そして、国際的連関と国内市場の狭隘に規定されて農民層の分解が不徹底になるとともに、はじめから専制性と侵略性を帯びざるをえない日本国家の構造を分析していく。

それゆえ猪俣は、一九二七年の自身の論文「現代日本ブルジョアジーの政治的地位」にみられた、天皇制を、物質的基礎を欠いたたんなるイデオロギー的残存する自らの労農派的見解を否定し、封建遺制の存立根拠としては「半封建的なもの」よりも「イムペリアリズム」の方が重要であるとして、逆にその存立根拠を積極的に解明しようと試みるのである。

だが猪俣は、正当にも、天皇制国家の基礎が帝国主義的環境におかれた農民層にあるとしつつも、その「半封建的なものの正体」となると、これを資本主義論と切り離して、当時流行していた村落共同体それ自体の内部構造に求めてしまうことになる。じっさい翌三七年の著書『農村問題入門』においては、日本の農業は、モンスーン的風土を背景に人工潅漑を不可欠とし、多肥料的かつ労働集約的な水田稲作農耕によって特徴づけられるのであり、天皇制専制公権力への積極的隷属の意識は、こうした水の共有を基礎とする村落共同体の閉鎖性と家父長的な社会秩序の強固さによって支えられている[53]、というのである。

こうした村落の内部構造論への沈潜は、独自に柳田農政学とマルクス主義を接合しようとした異端の講座派、関矢留作にもみられるところである。

関矢は、一九三六年の論文「小作料に関する覚書」で、明治維新はブルジョア的土地所有権を承認したのであり、講座派のいう経済外強制にもとづく国家最高地主説は成立する余地がないと断じたのち、しかしながら民法の成立後、土地立入禁止・稲立毛差押さえ・土地取上げといった封建的慣習が、債務不履行の担保としてかえって正当化され強化されていると主張する。そして同年の「農民の家族とその生活」と題された遺稿では、天皇制国家の特異性を日本におけるこうした水田稲作農業に固有の特性から説明できるとして、民俗学の成果を大幅に採り入れて農民の生活史の実態調査を進めていくことになる。(54)

もちろん猪俣や関矢は、こうした村落共同体論からただちに天皇制国家の賛美に向かうわけではない。むしろ彼らは、国家による産業組合共同組織や小作争議の懐柔策である官僚主導の共同経営に対して、農村固有の「村落共同体」あるいは伝統的な相互扶助組織である「結」を対置し、これを変革の基盤とする一種の〝自主管理型コミューン〟を模索しているともいえよう。そこには、一九二七年に公表されたマルクスの『ヴェーラ・ザスーリッチへの手紙』が大きく影響しているように思われる。たしかにマルクスはこの手紙において、一九世紀のロシアでは前古代的なミール共同体が全国規模で広範に維持されていることを指摘し、欧米列強とロシア国家の脅威を取り除くことができれば、この共同体は、資本主義的発展を経由しなくても社会再生の根拠となりうる可能性があると指摘していた。

だが、猪俣や関矢らが、マルクスにみられた国際環境や国家権力に対する注意深い分析を欠いたまま、当時の日本の「村落共同体」をそのまま社会変革の拠点とする戦略を追求するとき、そのオプティミスティックな展望は、冷厳な歴史的現実によって無残に打ち砕かれざるをえない。すでに一九三七年には全国農民組合が解散し、農村経済再建運動はまるごとファシズム国家の産業報国運動へと合流していく時代だったのである。

このことは、日本の村落「共同体」なるものが、猪俣らのいうようなアジア的村落それ自体としての内的な強固性によってではなく、そしてまたマルクスの着目したロシアのミール共同体とも異なって、むしろ高度な金融資本的蓄積のうみだす膨大な過剰労働力のプールとして、維新ののちに資本主義的・政策的に形成された〝擬制共同体〟であったことを示すものであろう。

三〇年大恐慌後における日本の農村の疲弊は、こうした金融資本が主導する社会編成の破綻を象徴するものであり、それゆえにこそ天皇制ファシズムは、たんなる民族主義的な「共同体」国家観の鼓吹ではなく、より積極的な自作農の育成と小作農の保護政策によって農民の小ブルジョア化を促進させ、その反体制的エネルギーをそのまま国体を護持する大政翼賛へと誘導していくことになる。じじつこの国家は、三八年の農地調整法、三九年の小作統制令による賃借権の強化と農地価格統制令および自作農創設資金の助成、管理通貨制を利用した財政放出にもとづく米穀政策、救農土木や負債整理などの諸事業によって、農民の戦争体制への統合に成功し、天皇制への忠君愛国意識をあおり高揚させることによって大衆の政治動員を組織していったのである。

われわれはここで、マルクスの『ルイ・ボナパルトのブリュメール一八日』における国家論を想起する。

「分割地農民たちには、たんなる局地的結びつきしかなく、利害の同一性はあってもそれが彼らのあいだになんらの共同性もなんらの全国的結合もなんらの政治的組織もつくりだしていないかぎり、彼らは階級をなしていない。だから彼らは、議会を通じてであれ、国民公会を通じてであれ、自分の階級の利害を自分の名において主張する能力をもたない。彼らは自分を代表することができず、誰かに代表してもらわなければならない。彼らの代表者は、同時に彼らの主人として、彼らの上に立つ権威として、彼らを他の階級から保護し、上から彼らに雨と日光を降り注がせる無制限の統治権力として登場しなければならない。それゆえ、分割地農民の政治的影響力は、終局的には、執行権力が社会を自分に従属させるという点にあらわれる。(55)」

これは、たんに一九世紀フランスの第二帝政期・ボナパルティズム国家の説明にとどまるものではないだろう。むしろそれは、現代ファシズムさらには現代資本主義における国家の正統性の根拠をみごとにえぐり出すものとしても十分に評価に値するのではなかろうか。

ここでマルクスは、「無制限の統治権力」は、支配階級の権力としてではなく、むしろ共同性も結合性も組織性ももたない分割地農民、すなわち孤立しアトム化し社会的紐帯を切断された小ブルジョア大衆を保護するものとしてあらわれ、かつ、これに支持されこれを代表するものとして初めて絶対的正統性をもつ権威となるという。ボナパルト王朝が代表するものは、個々人の生存条件である狭い小地片の所有を固め、秩序に閉じこもり、帝政の亡霊の手によって自分の分割地もろとも救ってもらいたいと切望する零落しつつあるおびただしい人数の大衆であったというのである。

まさに天皇制ファシズムは、そうしたものとしてあった。それは決して〝遅れた共同体的意識〟の産物などではなかった。むしろ逆に、昭和恐慌下において没落していく農民の、正確にいえば決してプロレタリア化することなく小地片の所有にしがみつくアトム化し孤立した寄辺なき小ブルジョアとしての農民の、広範な反資本主義・反金融資本・反財閥的エネルギーに支えられていたというべきであろう。大衆のルサンチマンは、つまるところ恐慌下の政策的対応力をもたないブルジョア議会とその内閣への不信と嫌悪感・政治的アパシーへ向かったのであり、それゆえ彼らの期待は、議会から独立し農民的エートスを頂点において体現する天皇とその統帥下にある軍部への直接的支持へと糾合されていかざるをえない性格をもっていたのである。

すなわちファシズムは、国家が全面的・政策的に社会に介入し資本主義を組織していく体制であり、地主による半封建的支配でないのはもちろん、もはや金融資本の支配する帝国主義段階なるものとさえいえない。じつにこの国においてもファシズム国家は、非常に現代的で大衆的な基礎をもつ階級協調体制であり、いわば共同体の根を断たれ拠りどころ失ってアトム的に孤立した大衆の不安と衝動に支えられた、擬制的・幻想的「共同体」そのものであったと結論しうるのである。

それゆえファシズムのこうした〝擬制共同体〟的性格を分析しえないマルクス主義者の「共同体」論は、戦時下の弾圧と懐柔によって、民族排外主義的な天皇制ファシズムの称賛へと容易に転化していかざるをえない。

アジア的国家最高地主説の末裔である講座派の領袖がその典型であろう。平野義太郎は、K・A・ウィットフォーゲルの『解体過程にある支那の経済と社会』の翻訳を転機に、四二年以降は、アジア農業の基礎には固有の家族制度と祖先崇拝にもとづく郷土的農村共同体が存在していることを主張し、アジア地域の文化的・歴史的一体性の擁護とアングロサクソン支配からの解放を呼号する熱烈な「大東亜共栄圏」運動の推進者となっていく。また山田盛太郎も、日本の稲作技術の卓越性を自賛し、満州や大陸の占領地に対する技術指導によって「アジアの一体性」の確保を企てる熱心な戦争協力者になりはててしまうのである。(56)

ファシズムと国家の幻想共同性に対する分析の欠落した国家論論争の、無残な結末であったといえよう。

四　経済・法・国家の相関理論の構築に向けて

以上の論争史から、国家論は、唯物史観やエンゲルス＝レーニンのシェーマのように階級社会一般における国家の発生史をたどることによっては解明できない。それはなにより、資本主義商品経済を基礎にした共時的で重層的な構造分析として遂行されなければならないことが明らかとなった。いまや私たちは日本資本主義論争における講座派・労農派双方の国家論の問題点を、①資本主義と国家の関係に対する誤解、②類型的な資本主義国家論の構築の失敗、そして③現代資本主義国家論そのものの欠落において確認することができよう。

最後に、この三点にかんする総括を通じて、現代国家論の方法を提起することにしたい。

1　資本主義における法の支配

第一は、『資本論』のような資本主義の原理論やフランス革命のようなブルジョア革命の典型モデルなるものを基準にして、直接に、具体的現実的な国家の「本質」論を解明しようする方法の問題点である。

この点は、たとえば絶対主義論争や幕末維新をめぐる論争において両派に共通するものであった。平野や羽仁が、明治維新と天皇制国家の現実が、『資本論』やフランス革命像から掛け離れていることをもって、封建的土地所有に立脚する絶対王制とみなしたのに対し、向坂らはこれを、『資本論』的社会像へしだいに接近するとともに消滅するはずの封建遺制とみなすところに違いがあったにすぎない。両派とも資本主義の国家形態としては、ブルジョアジーが支配する議会主義的共和制ないし立憲君主制をア・プリオリに自明のものとみなし、そこからの偏差を測ることにとどまっていたのである。

そこには、唯物史観やエンゲルスによる国家一般の公式を基準にして、これを資本主義に〝適用〟し、近代国家をブルジョアジーによる「階級支配の機関」とみなすドグマが大きな影響を与えていたとみることができよう。

たしかに資本主義以前の社会では、経済的な支配それ自体が直接に身分的・宗教的な支配によって組織されており、経済的に支配する階級の武装組織がそのまま政治的な権力機構を意味するといってよいかもしれない。

だが資本主義はそうではない。資本主義はむしろ、労働力の商品化をもって流通形態が生産過程をも包み込み、商品経済的な匿名の連関のうちに再生産の秩序がオートノミックに実現される社会システムである。そこでは、生産過程における支配も、剰余価値の実現も、利潤の地代や利子への分配も、ゆいいつ競争をつうじた市場メカニズムによって処理される。それゆえいっさいの社会関係は、売買・雇用・賃貸借といった「自由な契約」関係に一元化され、その担い手たる人間は「所有権の絶対」「過失責任主義」という近代私法的形態のもとに同型の「自由・平等な人格」としてあらわれることになる。人間は非階級的な天賦の自然法的権利をもつ「主体」として物神化され、逆に個々人の意識においては、市場経済こそが自己の自発的な遵法精神の発現であると観念されるのである。「法の支配（rule of law）」が近代国家のレジティマシーの根拠をなすといってもよいだろう。[57]

それでは、こうした抽象的な「法の支配」から、国家権力の一般的な機構を導き出すことが可能であろうか。こうした国家の原理論構築への志向は根強く存在し、『資本論』のロジックのストレートな延長上に近代国家の一般理論を導き出そうとする企てはあとを絶たない。近年ではドイツにおける国家導出論争がそのひとつの典型であろう。

この論争において、たとえばB・ブランケやU・ユンゲルスらは、商品交換における貨幣の度量標準の確定と鋳造の保障から国家の必然性を導き出そうとし、W・ミューラやC・ノイジェースは、労働力の再生産を維持するための労働日の制限から国家の介入を導き出すことができるとした。またE・アルトファーターらは生産のインフラストラクチャーや交通・運輸機関などから国家の公共性を導き出せるとした。そして、もっともよく知られているようにJ・ヒルシュは、資本の蓄積過程における利潤率の傾向的低落に対する反対作用として国家の導出が可能であると説いたのである。[58]

また昨今では逆に、資本主義的市場システムの合理性から民主主義国家や議会主義国家あるいは国民主権の国家を必然的なものとみなす市場原理主義も続々と登場している。それゆえ旧ソ連邦や東欧圏において国家権力を民主化するためには、資本主義的市場経済の全面的導入がいまだ不十分であり、不可欠の条件であるというわけである。

これらは国家論の対象をひとまず資本主義に限定し、その公共的・共同体的性格に着目している点では一定の評価ができるかもしれない。だが、『資本論』の論理の演繹的な延長上に直接的に「国家の形態によるブルジョア社会の総括」を説く点において、なお根本的な限界を有するものといえよう。すなわちこれらの国家導出論は「法の支配」に対する基本的な無理解にもとづくものであるといいうる。たしかに資本主義市場メカニズムは、つねに私法的な権利イデオロギーを生み出し、かつまたこうした法形態をその存立の必要条件とするといってよいだろう。だが、こうした法イデオロギーは、そのまま国家の組織や機構を意味するものではない。むしろ資本主義においては、「所有権」と「契約」の法イデオロギーを侵害するものでないかぎり、国家権力の機構やその担い手が誰であるかは直接には問題とならないというべきであろう。権力を担う「主体」が誰であるのか、ブルジョアジーか地主かあるいは第三権力か、それゆえ国家がどのような組織機構を採るのか、共和制か君主制かそれとも独裁制かは、近代資本主義的権力の一般的メルクマールたりえないのである。

N・プーランザスやB・ジェソップが正当にも指摘した[59]ように、資本主義の政治権力とその支配形態は経済的な支配階級なるものから相対的に自律している。この意味において絶対王制やボナパルティズムにみられる〝第三権力〟は、けっしてエンゲルスのいうような「例外国家」ではなく、むしろ近代国家のノーマルな形態のひとつであるといってよいだろう。経済学や法学に純粋資本主義に対応する原理論がありえても、政治学や国家論にそれが成立しないゆえんである。

2　資本蓄積類型としての国家論

だがこのことは資本主義がまったく国家を必要としないことを意味するわけではない。

じっさい歴史的に資本主義は、〝牧歌的〟どころか、無制限で絶対の国家権力をテコにして初めて誕生した。市場における「自由・平等・所有・ベンサム」は、『資本論』の一巻二四章で述べられているように、土地のエンクロージャおよび血の立法による無産者の暴力的な創出というパラドックスを前提としている。封建制は、がんらい土地の現実的・重畳的な領有にもとづく公私の未分化な分権的共同体社会を基盤としており、商品経済の発達は、なによりこの共同体的関係を解体して、一物一権の所有権を追認する中央集権権力の形成を要請するのである。

たとえばイギリスにおいては一五世紀末に、大地主や商人と結託したヘンリー七世が、他の領主権力を抑圧しつつ封建制を統一して絶対王制を確立した。この国家権力はO・クロムウェルによる革命以後も継承され、商業独占を保護し被収奪者をプロレタリアートに転化させる原始的蓄積の権能を担いつつ、後期重商主義政策へと推転していったのである。

だがむしろ、こうした国家の行政権力までもが全面的に「法」に羈束されるのは、一九世紀中葉にいたるイギリスに固有の特殊な法現象にすぎなかった。そこではたしかに議会の主権が貫かれ、国王の行政権は、議会の意思である法に厳重に拘束されて裁量権を排斥されたといえるかもしれない。こうした「議会王政」の実現はまさに、イギリス資本主義が諸外国に先行し三世紀にわたる漸進的な三大階級への分解をすすめて、それまでのゲルマン法的慣習を市場イデオロギーに適合するコモン・ロー（判例法）に編成して定着させた結果にほかならない。

じじつこれに対応して、議会主権による王権の羈束が実現されるが、注意すべきは、この時代のイギリスにおいて議会主権とは、あくまでも地主と貴族・聖職者だけによる名望家民主主義にすぎなかった点であろう。それはけっして、国民主権による大衆民主主義を必然化するものではなかったのである。日本資本主義論争において服部や土屋が説いたような、マニュファクチュアから機械制大工業にいたる生産力の技術的発展がそのまま近代国家の基礎を形成するというのは、せいぜいこうした一九世紀イギリスに偶然に当てはまった特殊な事例にすぎず、しかもそれを過度に理想視したものにほかならない。

すなわち、国家論論争における躓きの第二は、先進資本主義の発展プロセスを普遍的な法則性の発現とみなすことによって、後発資本主義固有の発展パターンを無視したことであろう。このことがいわゆる帝国主義国家論の構築の失敗に帰着することになる。後進国の資本主義化のプロセスは、けっして『資本論』第一版序文にいうような、「産業の発展のより高い国は、その発展のより低い国にただこの国自身の未来の姿を示している」わけではない。帝国主義の国家形態は先進国イギリスではなく、むしろそれとのコントラストにおいて一九世紀末の後進国ドイツに典型的に現出したのである。

周知のようにドイツの近代化は、鉄鋼業資本が早期から産業投資をになう銀行との結合のもとに株式会社制度を採用しておこなわれた。すなわち国家のイニシアティヴによって、イギリスを追い越す重工業の育成を推進したのである。こうした当初からの固定資本の肥大性と資本構成の高度性は、労働力の吸収を限定的なものにとどめて、プロイセン・ユンカーなど中間階級の分解を停滞させた。そして、それらの資金の動員によって金融寡頭制を形成するとともに、滞留した農民中間層の支持を社会的基礎として国家権力をプロイセン君主に集中させていったのである。

それゆえドイツにおいては、イギリス型の「議会王制」ではなく、「行政権の優位」が現実化せざるをえないことになる。こうした権力構造を制度的に保障するものが、じつに一八四八年のプロイセン欽定憲法および五〇年の改正憲法であった。この憲法においては、外見的立憲君主制と権力分立の採用にもかかわらず、行政権の君主への包括的授権によって、君主の外交権と大臣任命権の掌握および陸海軍の統帥が規定され、君主に対する大臣の責任と国民に対する無答責、そして法の羈束から解放された君主の広範な政治的裁量権が保障されていたのである。

この権力は、いわばブルジョアジーとユンカーの寡頭体制にもとづく君主主権制であり、パックス・ブリタニカとの対抗の下に、国内的には労働者との対峙政策、対外的には保護関税政策を採りつつ、急速かつ積極的な帝国主義的海外進出をすすめていくことになる。レーニンの国家論、すなわち「武装した人間の特殊な部隊、常備軍、警察と監獄」という暴力装置を唯一の階級支配の本質とみなす国家論は、こうした帝国主義期ドイツの国家の現実をそのまま国家一般論にまで〝普遍化〟してしまったものといえるかもしれない。

そしてわが国における資本主義化は、こうしたドイツよりもさらに遅れて、一八七〇年代に世界資本主義の列強による帝国主義的な確執の真っ只中において初めて開始されたのである。

明治維新にいたるも中央集権権力さえ未確立であった日本は、まず、「絶対主義」的な集権国家の確立が急務であり、しかも中国大陸まで西欧帝国主義による植民地化がすすむなかで、同時に、日本国家を西欧諸国に対抗しうる軍事・行政権の突出した帝国主義的権力として編成せざるをえなかった。ここに日本は、金融資本が未成熟で過剰資本が形成されていないにもかかわらず、天皇制国家自身による海外進出によってまず大陸における綿糸紡績市場の確保が先行し、しかるのちに、国家資本と官業資本の財閥への払い下げによって後から資本主義そのものを育成するという変則的発展プロセスを示すことになる。

ドイツでは、一八六〇年代の国内重工業市場の拡大に支えられて、五〇年憲法の君主授権制を七一年ビスマルク憲法における「法律による行政」へと転換する基礎が与えられたといってもよいが、日本においては、こうした転換さえもみられなかった。

じじつ一八八九年に公布された明治憲法は、五〇年プロイセン憲法をほぼそのまま継受し、天皇に統治権の総攬をみとめ大臣の補弼は天皇に対してのみ責任を負う。議会の予算審議権や法律案の提出も天皇の裁量権に拘束される。さらに、天皇の勅任議会である貴族院や諮問機関としての枢密院の存在、軍の統帥権の独立など、プロイセン憲法以上に〝絶対主義〟的な「天皇大権」を規定している。それはまさに、立法の羈束から解き放たれた中央集権権力の確立がそのままストレートに帝国主義的な行政国家の機能をはたすことを可能にするものだったといえよう。

日本では、資本主義の本源的形成と帝国主義的な発展が一体化してあらわれるのであり、そこでは農業問題もドイツ以上にいっそう先鋭化したかたちで露呈せざるをえない。農民層分解はほとんどみられず、法制度的に私有化された過小規模の農民経営がひろく停滞し、これを「アジア的」「家父長的」などと形容される農村の擬制的「共同体」のもとに統合することで、天皇制国家の社会的基礎をうちかためていったのである。

こうした後発資本主義的権力としての天皇制国家の特異な位置をかえりみることなく、これを金融資本のもとにおけるたんなるイデオロギー的遺制（猪俣）、ブルジョアジーによる封建制の抱合（山川）、あるいは逆に国家最高地主による絶対主義権力（野呂）に一般化してしまうところに、日本資本主義論争の根本的破綻の原因があった。現代日本国家論が『資本論』の市場モデルによってではなく、あくまでも市場と共同体との混成理論によって、いいかえれば市場による一元的な社会編成の〝無理〟によって、基礎づけられねばならないゆえんである。

3　現代資本主義における国家論

さて、国家論論争における最大の欠陥は、一九三〇年代以降における資本主義の変貌を現代国家論の問題として捉え返せなかった点であろう。

周知のように世界恐慌以後の大不況を克服するために、各国は金本位制から離脱し、管理通貨制にもとづく為替ブロックの形成によってこの事態に対応しようとした。すなわちそれは、旧来の帝国主義的な国家編成がことごとく破綻した現実をまえにして、それぞれが、金融資本のイニシアティヴではない、むしろそれを超えたより高度な資本主義の国家的組織化を開始したことを意味する。

たとえばアメリカは、大統領の裁量権を合法的に拡大して、ニューディールに代表される財政投融資と金融管理および労働運動の積極的助成をおし進め、大衆民主主義的に国民の追加需要の創出をはかろうとした。いわゆるケインズ主義と呼ばれる政策である。また他方でドイツは、下層民衆による反資本主義運動を背景にして三三年授権法によって国民代表議会を廃止し、ナチス権力の独裁にもとづく疑似革命的な国家社会主義によってこれを乗り切ろうとしたのである。

これに対して「天皇制ファシズム」と呼ばれる日本の対応はどうであったか。いうまでもなく日本の変革を主導したのは、軍部と革新官僚層など政治的エリートであり、そのスローガンは、天皇を家長とする家族国家的体制およびその外延的拡大である八紘一宇なる大東亜共栄圏の建設であった。すなわち日本の対応は、一種の〝権威主義的反動〟にもとづく階級融和と大アジア主義による上からの資本主義の組織化であり、いっけん、直接的な国民運動に支えられた米・独いずれの資本主義の組織化形態とも異なるようにみえる。しかしながらそれがたとえ大衆的組織化を背景としないにしても、天皇制ファシズムは、たんなる政治的暴虐や強権的弾圧体制などでは決してなかった。それはやはり、小ブルジョア大衆の一定の支持（社会的基礎）にサポートされた「革新」体制であった点を見落とすべきではないだろう。

じっさいこのころ、工業面では、一九三一年の産業統制法から三八年の国家総動員法にいたる軍需インフレーションのもとで、重工業の発展とそれにもとづく株式の公開と大衆化がすすみ、また農業面では、三八年の農地調整法と三九年の小作統制令などによって賃借権の物権的保護および自作農創設政策が大きく進展している。また労働の面においても、戦時の労働力不足による労働者の権利拡大および労使同権化やさらには女性の職場進出が著しくすすんでいる。これらは国民の総貧困と没落による社会的平等化とあいまって、一種の〝大衆社会化〟状況を出現させるとともに、国民大衆のなかに金融資本や財閥に支えられた議会とその内閣へのルサンチマンをひろく鬱積させていった。こうした小ブルジョア化しアトム化した国民大衆の反資本主義的エネルギーをひろく統合し政治動員するものとして、天皇に対する忠君愛国意識は組織されていったとみるべきであろう。

すなわち天皇制ファシズムは、国家が政策的に社会に介入し資本主義を反独占的に組織していく一つの大衆国家的体制であった。ドイツのナチズムが世界最初の大衆民主主義国家であるワイマールの産物であったのと同様に、天皇制ファシスズムもまた、一九二五年の普通選挙制の実現に代表される大正デモクラシーによって準備されたといえるかもしれない。そこにはすでに、民主主義か全体主義かという単純な二項対立、あるいは革新か保守か、進歩か反動かという素朴な「善玉／悪玉」の二元論によっては把握することのできない現代資本主義的な社会構造が形成されつつあったからである。

それゆえ日本型ファシズム国家は、天皇制を無視した労農派の「金融資本独裁論」でも、ファシズムを否定する講座派の「絶対主義国家」論でも、まったく理解不能なのはあまりにも当然であった。三〇年代後半には、両派の国家論がいずれも破綻し、総じて沈黙と転向へとなだれうっていったのは、たんに弾圧の凶暴性のせいだけではない。それはまさに、対象としての現代国家論の構築の失敗そのものに起因する実践の不能に由来するものだったのではなかろうか[60]。

現代資本主義国家は、マルクス主義の国家論とりわけレーニンの階級国家論のシェーマによってはついに解明できず、その破綻を最終的に宣告するものだったのである。

おわりに　二一世紀国家論へのみちしるべ

以上の諸論点の確認はまた、戦後国家論の構築にも一定の方法論を提供するはずである。

戦後の日本の発展は、すでに戦前に始まっていた資本主義の大衆的変貌をいっそうドラスティックにおし進めるものであったといってよい。財閥の解体による独占禁止法体制は私的独占行為を排除するアピーズメントを徹底させ、農地改革による農地法体制は寄生地主を除去して自作農主義を定着させ、そして女性参政権の承認と家族法の大改革、さらに労働三法による労働基本権の承認と社会保障法による生存権の拡充は、反独占的な資産・所得の再配分と国民の平準化の地ならしを敢行するものであった。これらの一連の戦後改革における民主化立法、およびその総仕上げというべき一九四六年の日本国憲法の制定によって、なるほど戦前の天皇制ファシズムは制度的に解体を遂げたといえるだろう。

しかしながら新憲法の理念が現実的に定着するためには、天皇制の社会的基礎というべき農村「共同体」が消滅を遂げる一九五五年から六〇年代を待たねばならなかった。いいかえれば新憲法の高邁なる理想である「国民主権」の現実化は、戦後のマルクス主義者やリベラリズムの啓蒙によってではなく、アイロニカルにも農村村落をまるごと消失させる日本資本主義の高度成長によってこそ実現されたというべきであろう。この時期、南から輸入した安価な石油等の一次産品と大戦で開発された科学技術とを合体させる重化学コンビナートの形成をつうじて、都市人口の爆発的な膨張と地価の高騰、公害の撒布などの代償を払うことで、毎年六〇～七〇万人にもおよぶ農村人口を都市に流出させることが可能になり、ようやく天皇制国家の社会的基礎は消滅したといってよい。

それは決していわゆる「近代化」ではなく「現代化」、つまりファシズムに替わる現代資本主義のみごとな組織的再編の結果だったのである。だがそれならば、天皇制ファシズムの「社会的基礎」が消滅したのなら、天皇制を支える国民のメンタリティもまた消滅に向かったのであろうか。けっしてそうではない。

一九六〇年代の高度成長は、たんに農村の過剰労働力を都市へ吸収するにとどまらず、ケインズ主義的な管理通貨制を利用したインフレとフィスカル・ポリシーをつうじて有効需要の人為的創出をはたし、恐慌を回避しつつ完全雇用を実現し、そして労働者の実質賃金の上昇をもはたしていった。すなわち賃労働者の小ブルジョア化と体制内化をも確実に実現していった。このとき天皇制の「社会的基礎」は、戦前の小地片所有者としての農民から、マイカーをはじめ膨大な耐久消費財を持てる新たな小資産者としての都市労働者へと移っていったというべきである。新憲法における国民主権・基本的人権・平和主義の理念とともに象徴天皇制の定着は、小資産所有者としての労働者の体制内統合に支えられてレジティマシーを確立したといえるであろう。

このとき、戦前に権威を誇った「絶対主義」的天皇制は、かつての小農民の〝ナポレオン的観念〟に代わって、「鉄鎖以外に失うべき」小資産と人権を抱えこんだ労働者の「一億総中流」意識を社会的基礎とする〝象徴天皇制〟へとみごとに変貌を遂げたのである。すなわち象徴天皇制は、けっして戦後の進歩的リベラルのいうような国民主権と矛盾した存在ではなかった。それどころかそれはむしろ、私的エゴイズムと市民的権利の追求を至上目的とするアトム化した砂のような大衆に支えられ、その生活保守主義とマス・デモクラシー的統合を文字どおり〝象徴〟するものとして聳立していた。それはまさに「開かれた皇室」の完成だったのである。

だがこうしたあまりにも戦後的な〝平和と民主主義〟国家の安定も、それほど長くつづくものではありえなかった。

一九七三年のオイル・ショックを引き金とした高度成長の終焉、八〇年代後半のバブル経済とその崩壊、そして九〇年代におけるME・ハイテクの技術革新からIT革命にいたる情報通信産業の新バブル、そしてこれを背景にした市場のグローバリゼーションの進展は、硬直化した東の社会主義的計画経済の失敗を鮮明に照らし出すだけでなく、ひるがえって西側諸国とりわけ日本のマス・デモクラシー的組織化をも限界に導くものであった。もともと現代資本主義の福祉国家的ないしケインズ主義的体制統合は、一九一七年のロシア革命以降の社会主義との対抗を契機とし、二〇年代末の大恐慌を介して構造的に定着したものである。対立勢力としてのソ連・東欧圏の瓦解は、西側においても国家による組織化の必要性を縮減させ、おりからの情報のボーダレス化と金融市場のグローバル化とあいまって、〝新自由主義〟の激流が怒濤のようにこの国を席巻したのである。

それはひとまず、イデオロギー的には、個人の自立と自己決定・自己責任などといった〝超越論的自我〟を唯一の「主体」として登場させ、政治的には、「規制緩和・行財政改革・小さな政府」をスローガンとした守旧的既得権益への攻撃としてあらわれる。そして社会的には、倫理も公共性も宗教も美徳もない弱肉強食と私利私欲の市場的競争ゲームへと人々をして放り出し、駆り立てていったのである。そしてまた、こうした二一世紀初頭における新自由主義の暴威は、二〇世紀的資本主義国家を支えた社会的基礎としての国民の中流幻想をも確実に崩壊に導き、ゆき場のない孤立した個人の挫折と焦燥、さらには貧富の格差の拡大を生みださずにはおかない。

ではこのとき、国民国家としてのレジティマシー（幻想的共同性）はいったいどうなるのであろうか。強調しておくべきは、二一世紀の現実はけっして戦後民主主義の否定やリベラリズムに対する反動ではない。まったく逆に、リベラリズムの人間観がまさにいま全社会の表層を覆わんとするひとつの帰結だといえることである。すなわち、独立した個人が自由な合意によって国家を形成するとされる近代権力の正統性原理そのものの、ひとつのアイロニカルな到達点なのである。自然法的な社会契約論は、自由な市場的個人と幻想共同性としての国家との相補性を、暗黙のうちにひとつのイデオロギー的公理としていた。国家に市民社会を対置し、あるいは全体主義に個人主義を対立させる二項対立的シェーマは、もはや誰の眼にもその破綻が明らかである。

戦後の高度成長をつうじて小ブルジョア化した大衆の二一世紀現在における挫折と孤立、そしてその閉塞的意識が、今後どのような奇怪な〝ナポレオン観念〟を形成するのか。すなわち、それが、象徴天皇を抱く国民国家（Nationalstaat）による一国的で閉鎖的な統合の再強化へと向かうのか、あるいは超国家的でグローバルな新たなる「帝国（Imperium）」を要請するのか。いずれにしても私たちは今一度、一九三〇年代の日本資本主義論争における国家論の構築の失敗に学ばなければならないようである。

補論　国家権力の物神的性格

1　国家の概念

マルクスには国家論の体系的な展開が存在しない。それゆえここでは、エンゲルスとの共著である『ドイツ・イデオロギー』（一八四五〜四六年）によって、マルクスの国家論を補ってみることにしたい。この著作において、国家論が比較的網羅的に展開されていると思われるからである。

たとえば廣松渉の整理によれば、『ドイツ・イデオロギー』における国家論は四つの規定として登場するといわれる。すなわち、①幻想的共同体としての国家、②市民社会の総括としての国家、③支配階級に属する諸個人の共同体としての国家、④支配階級の階級支配の機関としての国家[61]、である。しかしながら、ここでもマルクスは、四つの規定の相互連関を十分に説明しているわけではない。

しかも『ドイツ・イデオロギー』は、『資本論』に先行する一八五八年の「経済学批判プラン」へと繋がるものであり、そこでマルクスは、「資本」から分離して「賃労働」、「土地所有」をそれぞれ独立の体系として構想していたようである。それゆえ、三大階級を互いに敵対的なものとみなし、これらの対立関係を「国家」によって総括しようと試みていたと推測することができる。

けれども完成した『資本論』においては、賃労働は資本蓄積による相対的過剰人口の排出と吸収によって、また、土地所有は資本の利潤率均等化の結果として超過利潤を得ることによって、いずれも市場メカニズムすなわち市民社会イデオロギーのうちに処理されることになった。

それゆえ『資本論』では、③と④の階級国家論はすでに削除されたものとみるべきかもしれない。すなわち国家は、①幻想的共同体であり、②市民社会を総括するイデオロギー、としてのみ理念的・抽象的に規定されるにとどまったとみてよいだろう。

ちなみに、法学においてはG・イェリネックによって、国家は、一定の地域を基礎として固有の統治権力のもとに組織された人間の団体である、と規定される。また政治学においてはK・シュミットによって、国家は、権力の行為による人民の政治的生活の形態にかんする根本的決定であるとされる。そして社会学においては、M・ヴェーバーが、トロツキーの「すべての国家は暴力の上に築かれている」という言説を引用して、国家を、一定の領域内において合法的な物理的強制力を有効に要求する人間の共同体である、と定義したのが有名であろう。すなわち、社会諸科学の通説としては、国家概念は「合法的な物理的強制力（権力）」の概念を除けばまったく成り立ちえない。いいかえれば、国家は、権利として物理的強制力を保持し行使しうる唯一の集団であるということになる。

だがしかしながら、国家の物理的強制力による支配が有効に成立するためには、たんなる暴力の行使だけではなく、むしろマルクスのいう権力の物神性（Fetishismus）が必要となる。マルクスの巧みな比喩によれば、「ある人が王だから人々は臣下なのではなく、反対に、彼が王であるのは、ただ他の人々が彼に対して臣下としてふるまうからにほかならない」。また、ヴェーバーの表現を借りれば、国家が権力を維持するためには、伝統的、カリスマ的および合法的な正統性（Legitimität）をもっていなければならない。つまり、国家が「幻想的共同体」として「市民社会を総括する」ためには、当の市民社会に生活する諸個人自身が、この権力を容認し、肯定し、支持していなければならないのである。

それゆえ、資本主義国家は、商品経済の自己調整メカニズムに支えられた法に羈束される「法治国家」としてあらわれ、市民社会の治安を守る「夜警国家」であることが要請される。こうした権力への物神崇拝が存在するところにおいてのみ、民衆は自らすすんで自己のもつ私的な物理的暴力を放棄し、そのいっさいを国家に積極的に委ねることになる。こうした暴力の独占によって、近代国家は、はじめて中央集権国家として確立するのである。

2　軍隊と裁判所

それでは、国家権力としてのこの組織的暴力は、いかなる形態において存在しうるのであろうか。それは、端的にいって軍隊（常備軍）および裁判所（司法機構）に典型的に立ち現れるといえよう。かつてK・シュミットが喝破し、わが国の埴谷雄高がそれを受け継いだように、権力は、究極的には「奴は敵である。奴を殺せ。」という簡単なスローガンによって表現することができる。すなわち国家権力は、その敵対者に対して、合法的正統性をもって殺人と身体拘束の権利を独占するものとして存在するのである。

じじつ軍隊は、外国の民衆を合法的に殺害し、また捕虜としてその身体の自由を奪う。同様に、裁判所は、法に則って内国の民衆を処刑し、または懲役や禁固刑によってその自由を剥奪する。まさに軍隊と裁判所は、外と内に向かって権力を行使するメタルの両面である。しかも、権力のもつ正統性つまり物神的性格は、こうした国家権力の行使に、なによりも国民自身が積極的かつ能動的な意思をもって参加するところに見いだされる。それゆえ、世界の各国を見渡しても、国民に兵役義務を課している国はほとんどすべて、陪審制であれ参審制であれ、あるいは日本のような裁判員制度であれ、国民に裁判への出頭義務を課して権力の行使に加担させているのである。

こんにちリベラリストは、軍隊における志願兵の募集制度および裁判における裁判員の任意参加をつよく批判する。これらの自由意思による参加においては、その希望者が、一部のマニアックな好事家か、あるいは経済的に強制された貧窮者だけになってしまい、国民を選別し差別するものだというのである。それゆえ彼らは、むしろ逆に、地位や性別、貧富の差を問わずに、全国民を分け隔てなく平等に処遇する軍隊の徴兵制や裁判員の徴用制が望ましいとして、これを積極的に推進することになる。(62) こうした権力行使への強制動員を国民の政治参加と呼んで歓迎するのは、法曹リベラリストにとどまらず、進歩的文化人や知識人といわれる人々に幅広くみられる奇妙な傾向である。

しかしながら、国民が国家権力を肯定し支持するにとどまらず、全国民を国家権力の行使に参加させるこれらの制度は、まさに国家の正統性すなわち物神性をもっとも具体的に体現するものであろう。(63) すでに本論で詳しく述べたように、たとえばファシズムは、たんなる権力の独裁と暴走に由来するものではない。それは、なによりも国民自身の自発的で熱狂的な権力への翼賛と直接参加運動によって支えられていた。ファシズムはまさに、大衆民主主義（Populismus）の最終的かつ極限的な完成形態だったのである。

3　国家の死滅という理念

こうして私たちは、国家なるものが、資本主義の生みだす幻想的共同体イデオロギーそれゆえ市民社会に支えられて存立することを再確認することができる。したがって、国家権力への批判は、自由・平等なる市民社会という法的観念それ自体に対する批判でなければならないだろう。国家が法律を介して社会を編成すると考えるのは、いまだ法の物神性にとらわれたいわば倒錯的観念にほかならない。たとえば、かつて廣松渉は、『ドイツ・イデオロギー』のテキスト・クリティークから次のような結論を導きだした、

「国家権力という物象化された力は、無政府主義者が企図するように、それ自体を物のように廃止することは不可能であって、当の物象化を成立せしめる社会的関係そのものを……抜本的に再編することなしには廃止できない。[64]」

国家の組織的強制力とその物神性はつねに市民社会的法秩序に支えられている。それゆえ国家は、市民的法イデオロギーの屋台骨である資本主義の商品経済関係に、間接的にその存立の根拠をもっている。ところがいまや、国家権力の基礎にある市民社会イデオロギーそのものが、人間の孤立と分断によって「共同体」としての擬制性を顕わにし、その正統性自体に疑念を生じさせているといってよいだろう。

じっさい現代の資本主義は、市場の規制緩和とグローバリゼーションの止め処ない進行によって、市場メカニズムによる階級関係の包摂がもはや不可能となり、激しい社会的・宗教的・民族的な対立をひきおこしている。市民社会の亀裂は修復しがたいほどに広がり、その幻想性の露呈は、いまや国境を超える資本や情報、移民労働、さらには紛争の拡散として現われる。各国はこうした事態を、国家権力、つまり軍隊と裁判権の強化によって乗り切ろうとしているようにみえる。

現代世界においては、マルクスが『ドイツ・イデオロギー』で指摘し、廣松渉が③および④の規定として位置づけた「階級国家論」が、一定の信憑性をもって復権しているといってよいかもしれないのである。

だが、さいわいにも私たちの社会は、形式だけの空文にすぎないものとはいえ、「陸海空軍その他の戦力はこれを保持しない」（第九条）および「何人も……意に反する苦役に服させられない」（第一八条）憲法を保持している。これは、軍隊への徴兵や裁判所への徴用に対する一定の足枷であり、国家の権力行使とそれへの国民の動員に多少とも制限を課すものであろう。それは、ひいては、わずかな展望であれ、国家権力の具体的形態である物理的暴力そのものを無力ならしめる可能性を秘めているといえるかもしれない。

じっさい、日本では、今のところ徴兵制度を立法化する目途はたっておらず、また、裁判員制度は、国家が拒否者に過料を課して脅しても、出頭率はわずか二〇パーセント程度にとどまっているのが実状である。このことは、日本の「国家権力」がその正統性（物神性）を著しく毀損していることを意味していよう。もちろん、国家の権力行使への参加拒否がそのまま国家それ自体の否定に結びつくわけではないが、少なくとも多くの民衆は、「市民社会を総括する」「幻想的共同体」に背を向け始めているとはいえるであろう。かつてレーニンの使った言葉を借りれば、国家権力の本質をなす暴力装置が有効に機能しない国家は、いわば〝半国家〟なのである。

とはいっても、このような〝半国家〟がただちに「国家の死滅」を意味するわけではない。国家の死滅は、これから目指すべき永遠の彼岸にあるカント的な意味での「統整理念」にすぎない。しかしながら日本という〝半国家〟は、そこへ向かおうとする世界各国において、おそらくトップランナーの一つに数えられるのではないだろうか。合法的な物理的強制力の放棄は、国家の死滅という理念へ向かうために避けて通れないほとんど唯一のプロセスだからである。

いま、私たちに求められているのは、国家権力の行使に対する参加拒否を、権力そのものの無力化へと推し進め、これを、商品経済的な市民社会イデオロギーそのものの超克に結びつけることによって、いつの日か、国家の死滅という理念へと到達せしめることではないだろうか。

第Ⅲ部注

（1）F. Engels; *Der Ursprung der Familie, des Privateigentums und des Staats*, MEW. Bd. 21, SS. 165-167.（全集二一巻一六九～一七一頁。）

（2）V・I・レーニン「国家と革命」『レーニン全集二五巻』大月書店、四一八頁。

（3）日本資本主義論争における講座派・労農派の基本的な原資料のアンソロジーとして、青木孝平『天皇制国家の透視―日本資本主義論争I（思想の海へ二九巻）』社会評論社、一九九〇年を、本書とあわせて参照されたい。

（4）石堂清倫・山辺健太郎編訳「日本共産党綱領草案」『コミンテルン日本に関するテーゼ集』青木文庫、五頁。

（5）山川均「普選と政治的勢力の分布」改造一九二三年一二月号、一一八頁。同「政治的統一戦線へ」労農創刊号一九二七年一二月号、二頁。

（6）福本和夫「労農政党と労働組合」マルクス主義一九二六年一月号、一〇～一三頁。

（7）福本和夫『革命運動裸像』三一書房、一九六二年、五四～五五頁。

（8）F. Engels; *a. a. O.*, S. 167.（全集二一巻一七一頁。）K・J・カウツキー『フランス革命時代における階級対立』岩波文庫を参照。

（9）山辺健太郎編「二七年テーゼ」『現代史資料社会主義運動I』みすず書房、一九六四年、四七頁。

（10）たとえば渡辺政之輔「一般戦略の決定的重要点について」マルクス主義四五号、一九二八年一月。高橋貞樹（筆名・内田隆吉）「日本の政治経済における半封建的関係の残存について」同五六号、一九二九年四月などを参照。

（11）猪俣津南雄「現代日本ブルジョアジーの政治的地位」太陽一九二七年一一月、一五～一六頁。

(12) 野呂栄太郎「猪俣『現代日本ブルジョアジーの政治的地位』を評す」思想一九二九年四月号、のち同『日本資本主義発達史』岩波書店に収録、三七八〜三八二頁を参照。
(13) K. Marx; *Das Kapital III, MEW.* Bd. 25, S. 799.（全集二五巻一〇一四頁。）
(14) 野呂栄太郎「日本に於ける土地所有関係に就いて」思想一九二九年五、九月号、のち前掲書に収録、三九一〜三九五頁を参照。
(15) 猪俣津南雄『金融資本論』希望閣、一九二五年、第二篇を参照。
(16) 同「金融資本と帝国主義」『経済学全集二六巻』改造社、一九二九年。この論文の検討として、日高普編『日本のマルクス経済学（下）』青木書店、一九六八年、第七章を参照。
(17) 猪俣津南雄「我国資本主義の現段階」社会科学一九二七年八月号、のち同『帝国主義研究』改造社に収録、二〇六〜二〇七頁。
(18) 猪俣津南雄「現代日本ブルジョアジーの政治的地位」前掲、一九頁。なお、長岡新吉「猪俣津南雄の日本帝国主義論」『日本帝国主義-展開と論理』東大出版会、一九七八年。
(19) 野呂栄太郎「日本資本主義発達史」『同名書』岩波書店、一一一、一一二頁。
(20) 同「『プチ帝国主義』批判」太陽一九二七年六月号、のちに前掲書の第二篇に収録。
(21) 野呂栄太郎「日本資本主義発達史」前掲書一〇四頁。これについて日高普編『前掲（上）』第六章、二七四頁を参照。
(22) 二〇世紀初頭、D・B・リャザノフ、L・マジャール、E・ヴァルガらはアジア的生産様式を世界史の普遍的段階とする説を展開し、これに対してM・ゴーデス、E・ヨールク、G・ドゥブロフスキーらがそれを封建制のアジア的変形とみなす説を唱えて対立し、論争がおこなわれた。福冨正実編『アジア的生産様式論争の復活』未来社、一九六九年を参照。
(23) 石堂清倫・山辺健太郎編「三二年テーゼ」『コミンテルン・日本に関するテーゼ集』前掲八一〜八四頁。

(24) 山田盛太郎『日本資本主義分析』岩波書店、一九三四年、一八三頁。小林良正『日本産業の構成』白揚社、一九三五年、七五頁。
(25) 平野義太郎「明治維新における政治的支配形態」『日本資本主義発達史講座五巻』岩波書店、一九三三年、のちに『日本資本主義社会の機構』岩波書店、一九三四年に収録、二六三頁。
(26) 同書二八八〜二九二頁。
(27) 向坂逸郎「『ナポレオン観念』の物質的基礎」サラリーマン一九三五年一一月、のちに『日本資本主義の諸問題』黄土社、一九三七年に収録、三二〇〜三二一頁。
(28) K. Marx; *Der achtzehnte Brumaire des Luis Bonaparte*, MEW. Bd. 8, SS. 194-207.(全集八巻一八九〜二〇四頁。)
(29) 向坂逸郎「農民の歴史的特質」改造一九三六年四月号、のち前掲書一二八頁。
(30) 羽仁五郎「幕末における社会経済状態・階級関係および階級闘争・前篇」『日本資本主義発達史講座三巻』一九三二年、三頁。同「幕末における政治的支配形態」『同四巻』一九三三年、四六頁。なお「東洋に於ける資本主義の形成」は同名書、三一書房、一九四八年参照。
(31) たとえば上山春平『歴史分析の方法』三一書房、一九六二年。河野健二『フランス革命と明治維新』日本放送協会、一九六六年。大谷瑞郎『ブルジョア革命』御茶の水書房、一九六六年。小林良彰『明治維新とフランス革命』三一書房、一九八八年などを参照。
(32) 服部之総「明治維新史・上」『マルクス主義講座五巻』一九二八年。
(33) 服部之総「維新史方法上の諸問題」歴史科学一九三三年四〜七月号、のちに『日本資本主義発達史講座五巻』一九三三年収録、一一七頁。
(34) 服部之総「マニュファクチュア論争についての所感」福島大学商学論集二一巻三号、一九五二年、のち前掲書収録、二九〇頁。

(35) 服部之総「明治維新の革命及び反革命」『日本資本主義発達史講座五巻』二二頁。この批判として楫西光速ほか「日本資本主義の成立Ⅰ」東京大学出版会、二三七頁がある。

(36) 山田勝次郎「農業における資本主義の発達」『日本資本主義発達史講座七巻』一九三三年。土屋喬雄「徳川時代のマニュファクチュア」『改造』一九三三年九月号。平野義太郎「自由民権」同一九三三年一二月号。

(37) 服部之総「厳・マニュ・時代の歴史的条件」歴史科学一九三四年三、四月号、のちに『服部著作集一巻』理想社、一九五五年、二六八頁収録。

(38) マニュファクチュア論争について、小島恒久『日本資本主義論争史』ありえす書房、一九七六年、第Ⅱ部第一章を参照。

(39) K. Marx; *Das Kapital I, MEW.* Bd. 23, S. 355.（全集二三巻四三九頁。）

(40) この点について、宇野弘蔵編『資本論研究Ⅱ巻』筑摩書房、一九六七年、二五二〜二五四頁を参照。

(41) K. Marx; *a. a. O.,* S. 390.（全集二三巻四八三頁。）

(42) 土屋喬雄・小野道雄『近世日本経済史論』改造社、一九三三年、二三〜二四頁。

(43) 服部之総「明治維新の革命及び反革命」前掲二二頁。

(44) 土屋喬雄「新地主論の再検討」改造一九三四年六月号、のちに同『日本資本主義史論集』育生社、一九三七年に収録、二三〜二四頁。

(45) 石堂清倫・山辺健太郎編「三二年テーゼ」前掲八三頁。G・M・ディミトロフ「コミンテルン第7回大会報告」『コミンテルン資料集第一巻』大月書店。

(46) 戸田慎太郎『日本農業論』叢文閣、一九三六年、五六頁など。河合悦三（筆名・木村荘之助）『日本小作制度論』叢文閣、一九三六年、三一頁など。

(47) 対馬忠行（筆名・横瀬毅八）「軍・封・帝国主義問題に寄せて」明治政治史研究一九三五年一二月号、

一九〇頁。信夫清三郎「帝国主義論の一問題」唯物論研究一九三五年八月号、八四頁。なお、対馬『日本資本主義論争史論』こぶし書房、二〇一四年も参照。

(48) 戦後の志賀義雄と神山茂夫の論争にはじまる日本国家論論争については、さしあたり小山弘建・浅田光輝『天皇制国家論争』三一書房、一九七一年を参照。

(49) 井上晴丸(筆名・立田信夫)『日本産業組合論』叢文閣、一九三七年、第一章。

(50) 有賀喜左衛門「名子の賦役-小作料の原義」社会経済史学一九三三年一〇月号。なお、河村望「日本資本主義論争と有賀社会学」『日本社会学史研究・下』人間の科学社、一九七五年を参照。

(51) たとえば、吉本隆明『共同幻想論(吉本全著作集第11巻)』勁草書房、一九七二年。滝村隆一『国家の本質と起源』勁草書房、一九八一年の「共同体-即-国家」論を参照。

(52) 猪俣津南雄「封建遺制論争に寄せて」中央公論一九三六年一〇月号。一二五頁。

(53) 猪俣津南雄『農村問題入門』中央公論社、1937年。これについて福冨正実『日本マルクス主義と柳田農政学』未来社一九七八年を参照。

(54) 関矢留作「小作料に関する覚書」経済評論一九三六年九、一〇月号。

(55) K. Marx; *Der achtzehnte Brumaire des Luis Bonaparte*, MEW. Bd. 8, SS. 198.(全集八巻一九四頁。)

(56) 平野義太郎『大アジア主義の歴史的基礎』河出書房、一九四五年。また山田盛太郎(東亜研究所第五調査委員会)「支那稲作の技術水準」東亜研究所報一一号一九四一年。

(57) 宇野学派においても、岩田弘『資本主義と階級闘争』社会評論社、一九七二年は、労働力商品化の無理が労働日をめぐる労資対立として発現するとして、資本の生産過程に法治国家を超える「階級国家」の必然性を見いだす。また、鎌倉孝夫『国家論のプロブレマティク』社会評論社、一九九一年は、資本の商品化の擬制性を法の支配のイデオロギー的限界とみなして国家権力の根拠を見いだす。これらの批判を、青木孝平『経済と法の原理論』社会評論社、二〇二〇年、第二章にまとめたので併せて参照されたい。

(58) C. v. Braunmuhrl, K. Funken, M. Cogoy, J. Hirsch; *Probleme einer materialistischen Staatstheorie*, Suhrkamp Verlag, 1973.（『資本と国家‐唯物論的国家論の諸問題』田口富久治・芝野由和・佐藤洋作訳、御茶の水書房、一九八三年。）ドイツの国家導出論争について、八木紀一郎「西ドイツにおける『国家導出問題』の討論」経済科学二二巻一号、一九七五年三月。加藤哲郎『国家論のルネッサンス』青木書店、一九八六年などを参照。

(59) たとえばプーランザスは、資本主義国家は本質的な実体とみなすべきでなく、関係として、すなわち経済から相対的に自律し、諸階級および階級的諸分派間の力関係の物質的凝縮であるという。またジェソップは、国家論の経済還元主義的な一般理論を否定し、国家形態は、社会的諸力のバランスに応じた構造的選択性のパターンであり複合的な制度的総体であるという。N. Poulanzas; *L'etat, le pouvoir, le socialisme*, PUF. 1978, p. 141.（『国家・権力・社会主義』田中正人ほか訳、ユニテ、一九八四年、一四七頁。）B. Jessop; Nicolas Poulantzas : *Marxist Theory and Political Strategy*, 1985, Macmillan, p. 338.（『プーランザスを読む』合同出版、一九八七年、四二七頁。）B. Jessop; Sate Theory, The Pennsylvania State University Press, 1990, Chap. 3.（『国家理論』中谷義和訳、御茶の水書房、一九九四年、一一五～一五三頁。）

(60) 日本資本主義論争をふまえた現代国家論の提起として、長岡新吉『日本資本主義論争の群像』ミネルヴァ書房、一九八五年。G. A. Hoston; *Marxism and the Crisis of Development in Prewar Japan*, Princeton University Press, 1986. 大藪龍介『現代の国家論』世界書院、一九八九年。村上和光『資本主義国家の理論』御茶の水書房、二〇〇七年。佐藤優『国家論―日本社会をどう強化するか』ＮＨＫブックス、二〇〇七年などが参考になる。また、後発資本主義国における農村の封建性については、宇野弘蔵「わが国農村の封建性」『宇野著作集』第八巻を参照されたい。

(61) 廣松渉『唯物史観と国家論』講談社学術文庫、一九八九年。

(62) こうしたリベラリズムの代表として、井上達夫『憲法の涙』毎日新聞出版、二〇一六年。同『立憲主義という企て』東京大学出版会、二〇一九年 参照。

(63) 裁判員制度の批判として、高山俊吉『裁判員制度はいらない』講談社、二〇〇六年。西野喜一『さらば、裁判員制度』ミネルヴァ書房、二〇一五年。織田信夫『裁判員制度はなぜ続く』花伝社、二〇一六年などを参照。

(64) 廣松渉『物象化論の構図』岩波書店、一九八三年、一三九頁。

あとがき

本書は、二〇〇二年に公刊した『コミュニタリアニズムへ』（社会評論社）から、主に第Ⅱ部の「家族・私的所有・国家の社会哲学」の部分を抜粋し、独立した書物となるように加筆・修正を施して出来上がったものである。本書が新版として刊行されることになった経緯について、ここに簡単に記しておきたい。

本書の第Ⅰ部「家族論」は、もともとエンゲルス没後百年を記念した杉原四郎ほか編『エンゲルスと現代』（御茶の水書房 一九九五年）に収録するために執筆したものが基になっている。原題は「家族理論におけるエンゲルスとマルクス」であった。第Ⅱ部の「私的所有論」は、『コミュニタリアニズムへ』に書き下した「マルクス商品所有論の再審」を改訂したものである。また、第Ⅲ部の「国家論」は、「思想の海へ」シリーズの第二九巻として私が編集した『天皇制国家の透視』（社会評論社 一九九〇年）の「解説」に原型がある。日本資本主義論争のアンソロジーに添える改題論文として執筆したものである。

旧著『コミュニタリアニズムへ』の第Ⅱ部は、これら三本の論文を中心に構成されていた。しかしながら『コミュニタリアニズムへ』は刊行からほぼ二年で完売し、さらには『エンゲルスと現代』および『天皇制国家の透視』もほどなく出版社から在庫が払底してしまい、長い間それらに収録した論文を読むことができない状態が続いていた。

とりわけ『コミュニタリアニズムへ』には、再刊の要望が多く寄せられ、私としても愛着がある書物なので重版を期待したのであるが、なにぶんにも五〇〇ページを越える大部の書物であるため希望は叶わなかった。けれども、熱心な読者からこの本の独創的な部分だけでも抜き出して再刊してはどうかという提案をいただき、幸いにも出版社からも快諾を得ることができた。こうして、家族、私的所有、国家にかんする部分を書き改めて推敲し、新たな書物として上梓することになったのである。なお、このたび、各部ごとに「補論」を配して、マルクスの古典理論と二一世紀の現状を架橋するための問題提起を付け加える工夫をした。

旧著の「家族論」には故江守五夫先生から、「私的所有論」については新田滋、山口系一の両氏から、また「国家論」に対しては今は亡き降旗節雄、渡辺寛の両先生から、それぞれ懇切丁寧なご批評を頂戴した。傲慢にもこれらの御指摘に十分に応えられず、結果的に自説を押し通すところが多くなってしまったが、旧稿を読み返し反省する良い機会を与えていただいたことに深く感謝申し上げる。

また、複数の友人から、本書に収録した所有論について、とくに価値形態論の理解について、前著『経済と法の原理論』（社会評論社二〇一九年）と相反する主張があるのではないかという質問を受けた。この点について弁明すれば、『経済と法の原理論』は、あくまでも「宇野弘蔵の法律学」をできるかぎり忠実に紹介することを試みたものであり、これに対して本書は、現時点における私自身の独自の見解を述べたものである。両著は、マルクスや宇野に対する私のスタンスが異なるものとして了解いただきたいと思う。

そういう訳で、本書では、マルクスや宇野弘蔵の理論に対しても、不遜ながら納得のいかないところは積極的に批判することを心掛けたつもりである。おそらく従来のマルクス理解の常識から大きく逸脱している箇所も少なくないと自覚しており、これはアンチ・マルクスの、さらにいえば保守派の書物ではないかと訝る読者も少なくないと思われる。それを承知の上でやや開き直りの意を込めて、本書のサブ・タイトルを「マルクス理論の臨界点」と銘打つことにした。

近年のマルクス研究が、エコロジーやジェンダー、アソシエーショニズムや市場社会主義、そして格差社会批判など、ほとんどリベラル・デモクラシーと大差のない進歩的市民派に成り下がっている現実のなかで、これらの体制に〝無害〟な潮流に抗すべく、本書では、あえて私の考えるマルクス理論を誰に遠慮することなく思いのままに述べさせてもらった。

このような我が儘な書物の公刊を快く勧めてくださった社会評論社の松田健二社長に、衷心より御礼を申し述べる次第である。

二〇二〇年　一一月一二日

青木孝平

［ヤ行］

［ラ行］

［ワ行］

[ナ行]

[ハ行]

[マ行]

[サ行]

[タ行]

人名索引

青木孝平（あおき・こうへい）

1953年　三重県津市に生まれる
1975年　早稲田大学法学部卒業
1984年　早稲田大学法学研究科博士課程単位取得
1994年　東北大学博士（経済学）
2018年　鈴鹿医療科学大学教授退職
専攻：経済理論・法思想・社会哲学の相関理論

著書　『資本論と法原理』論創社、1984年。
　　　『ポスト・マルクスの所有理論』1992年。
　　　『コミュニタリアニズムへ』2002年。
　　　『コミュニタリアン・マルクス』2008年。
　　　『「他者」の倫理学』2016年。
　　　『経済と法の原理論』2019年、以上、社会評論社。
編著　『天皇制国家の透視―日本資本主義論争』社会評論社、1990年。
共著　『法社会学研究』三嶺書房、1985年。
　　　『クリティーク経済学論争』社会評論社、1990年。
　　　『現代法社会学の諸問題』民事法研究会、1992年。
　　　『法学』敬文堂、1993年。
　　　『ぼくたちの犯罪論』白順社、1993年。
　　　『マルクス主義改造講座』社会評論社、1995年。
　　　『社会と法』法律文化社、1995年。
　　　『エンゲルスと現代』御茶の水書房、1995年。
　　　『マルクス・カテゴリー事典』青木書店、1998年。
　　　『マルクス理論の再構築』社会評論社、2000年。
　　　『新マルクス学事典』弘文堂、2000年。
　　　『市場経済と共同体』社会評論社、2006年。
　　　『コミュニタリアニズムのフロンティア』勁草書房、2012年。
　　　『現代社会学事典』弘文堂、2012年。
　　　『ドイツ哲学思想事典』ミネルヴァ書房、2021年、など。

［新版］家族・私的所有・国家の社会哲学
——マルクス理論の臨界点——

2021年4月1日　初版第1刷発行

著　者＊青木孝平
装　幀＊右澤康之
発行人＊松田健二
発行所＊株式会社 社会評論社
東京都文京区本郷2-3-10
tel. 03-3814-3861/fax. 03-3818-2808
http://www.shahyo.com
印刷・製本＊株式会社ミツワ

Printed in Japan